D1431126

uénaël Revel

L'essentiel
Des caves
et Des
celliers

ien choisir ses vins
t savoir les conserver

Les 400 coups

Nous remercions le Conseil des
Arts du Canada de l'aide accordée
à notre programme de publication
et la SODEC pour son appui
financier en vertu du Programme
d'aide aux entreprises du livre
et de l'édition spécialisée.

Nous reconnaissons l'aide financière
du gouvernement du Canada par
l'entremise du Programme d'aide
au développement de l'industrie
de l'édition (PADIÉ) pour nos
activités d'édition.

L'essentiel des caves et des celliers
a été publié sous la direction
de Patrick Leimgruber.

Design graphique: Bruno Ricca
Révision: Micheline Dussault
Correction: Michel Therrien

Photos de la page couverture: Charles-Henri Debeur
Photos à l'intérieur: Guénaël Revel et Charles-Henri Debeur

Diffusion au Canada
Diffusion Dimedia inc.
539, boulevard Lebeau
Saint-Laurent (Québec)
H4N 1S2

Diffusion en Europe
Le Seuil

© 2005 Guénaël Revel
et les éditions Les 400 coups
Montréal (Québec) Canada

Dépôt légal – 1er trimestre 2005
Bibliothèque nationale du Québec
Bibliothèque et Archives Canada

ISBN 2-89540-257-4

Remerciements

Il y a des rencontres fortuites qui occasionnent curieusement des projets solides. Si la confiance et les encouragements les ciment, ce qui en découle est rarement manqué. Une de ces rencontres, en ce qui me concerne, s'appelle Caroline G. et Patrick L.; un immense merci à tous les deux. Si cet ouvrage est manqué, notre rencontre ne l'aura pas été!

Le vin, c'est d'abord une occasion de partage et d'inspiration, voire de confession. Merci à un globe-trotter du vin, Jacques O. Son expérience, ses connaissances et surtout l'esprit du vin qu'il distille – et que je partage – sont inestimables.

Je remercie toute l'équipe administrative de l'Association canadienne des sommeliers professionnels. Simplement parce que j'en ai envie.

Merci aux nombreux spécialistes des caves et celliers, essentiellement rencontrés au Québec et en France, qu'ils soient commerçants, artisans ou constructeurs.

Merci en particulier à Marc G. pour son analyse et ses conseils, à Marie R. pour son soutien permanent dans mes activités et à Jean-Philippe L. pour sa disponibilité.

Merci à Monique M. B., Muriel L., Marc-Alain L., Daniel R., Diane B. et Monique T. qui m'ont ouvert les portes de leur magasin au Québec et qui m'ont consacré du temps.

Merci à Francine G. pour la permission de prendre des clichés d'une cave exceptionnelle, voire unique au monde, celle de la Maison du Gouverneur, à Montréal.

Merci à Patrice T. de m'avoir prêté son lexique personnel des mots du vin.

Merci à Jean-Pierre L. pour le schéma et surtout pour les anecdotes sur les souvenirs d'enfance dans les vignes.

Merci à Michel G. pour m'avoir ouvert les portes de son restaurant et surtout, celles de son cellier hors du commun.

Merci à Charles-Henri D. Pour son talent et sa disponibilité.

Merci à tous les sommeliers, à tous les restaurateurs et à tous les propriétaires de cave privée qui m'ont permis de photographier leur précieuse réserve de bouteilles.

Écrire, partir, dormir peu, douter, espérer et goûter résument en quelque sorte ma vie. Elle est partagée et chaque jour soutenue, comprise et encouragée par celle que j'aime.

J'en suis là aussi grâce à toi. Merci, Katianne.

Merci à mes parents. Éloignés mais proches. En me transmettant l'esprit de la table et du vin, vous m'avez transmis les plus belles valeurs humaines. C'est à vous que je dois mon bagage culturel qui est aussi le ferment de ce livre.

Avant-propos

Descendre dans une cave à vin est encore le seul moyen que l'homme ait trouvé pour remonter le temps.

Enfant, lorsque je descendais dans la cave de mon père, c'est l'odeur d'humidité, de champignons et de poussière qui me plaisait, bien plus que l'alignement des bouteilles dans la pénombre mystérieuse. Plus tard, vers l'adolescence, je pris conscience qu'on pouvait boire du vin bien plus âgé que soi-même et j'en étais fasciné. Boire quelque chose qui avait existé avant moi me donnait l'impression d'avaler une période historique. Il suffisait d'ouvrir une bouteille pour qu'en sorte le passé, avec tout ce qu'il comporte d'énigmatique. Aujourd'hui plus âgé, j'ai plus de difficulté à consommer un vin d'avant ma naissance, mais lorsque cela se présente, j'ai toujours cette impression de m'asseoir dans une machine à remonter le temps. Passionné d'histoire, je le suis sans doute devenu du vin par cette interprétation…

Les productions de vins qui augmentent, leur diversité proposée aux clients, l'intérêt grandissant pour les arts de la table, la publicité qui accroche le consommateur, la spéculation sur de fameuses bouteilles, les éventuelles modes et l'attrait esthétique de l'objet, la passion du vin heureusement, ont créé un nouveau marché, celui du cellier à vin ou de la cave adaptée.

Il a fallu à peine une quinzaine d'années pour voir apparaître un nouvel appareil ménager, devenu presque indispensable dans la famille des meubles de cuisine, voire de salon: le cellier à vin. Réfrigérateur à bouteilles, armoire réfrigérante spéciale, armoire climatisée, meuble à fonction précise ou cave moderne, peu importe son nom, la «chambre des provisions» à vin est aux années 2000 ce que le réfrigérateur fut aux années 1940 et 1950: l'objet électroménager convoité, le «must» dans la cuisine. Hier absent, puis accessoire ou remplaçable dans les années 1990, il est aujourd'hui essentiel ou commode. Il ne doit plus du reste être seulement utile, il doit être beau et adaptable à l'environnement domestique.

Mais avant le cellier à vin, il y eut la cave. Normale. Base architecturale, «creux» pratique, nécessaire, négligé ou banal de la maison, cet espace qui eut toutes les fonctions domestiques dans l'évolution pluriculturelle de l'habitat humain est aujourd'hui envisagé de façon plus technologique lorsque sa structure naturelle ne satisfait pas entièrement les besoins de son utilisateur.

Le terme *cave* a son origine dans le mot latin *cavus* qui signifie «creux», et le terme *cellier* dans le mot latin *cella* signifiant «chambre à provisions». Dès lors, il est facile de comprendre l'évolution et l'utilisation de ces deux mots dans le temps. Je ne m'arrêterai donc pas sur leur sémantique. Notons tout de même que ces deux espaces ont existé bien avant la civilisation gréco-romaine et avant que celle-ci ne les identifie par un mot, source de ceux que l'on utilise aujourd'hui, globalement, en Occident.

Mais pourquoi ce livre? Pourquoi un livre sur la cave ou le cellier?

Simplement parce que je croise chaque jour, dans mon métier de sommelier, de nouveaux (ou de plus anciens) amateurs de vin qui, une fois propriétaires d'un cellier, d'une pièce adaptée à la garde du vin ou d'une cave, sont aux prises avec sa gestion, son entretien et son avenir.

Car attention, cet espace est l'écrin de toutes nos bouteilles, mais il n'est pas l'esthéticien de toutes les bouteilles.

C'est-à-dire qu'il ne faut pas y entreposer tout et n'importe quoi, n'importe quand et n'importe comment en pensant que, de toute façon, la bouteille de vin que l'on récupérera plus tard, en un temps précis ou imprécis, sera au summum de ses qualités gustatives. Et d'ailleurs, quand consommer le vin entreposé?

C'est aussi une question cruciale dans l'utilité et l'utilisation de cet espace de garde.

J'aborde sommairement l'histoire de la garde du vin et non de la fabrication du vin, car la compréhension de l'entreposage de bouteilles ne peut se faire sans l'explication de son évolution.

Ce livre s'adresse essentiellement aux particuliers, puisqu'un professionnel de la restauration a ou devrait avoir son professionnel du vin – le sommelier – pour gérer au mieux les précieux flacons et l'espace qui les reçoit.

Mais peut-être que mes collègues y trouveront aussi des ressources…

Je réponds au curieux, au sceptique ou au récent amateur de vin, simplement et le plus objectivement possible, à la suite de toutes les questions posées ou de tous les questionnements entendus dans les salles de restaurants, durant les cours d'hôtellerie, dans les salons commerciaux, au cours de conférences, de rencontres ou de conversations particulières.

Des conseils, des anecdotes ou des astuces sont glissés dans des bandes de couleur afin d'appuyer sur un point et parce qu'ils soulèvent des questions récurrentes.

Dans les exemples de réserves de vin que je dresse, j'ai inclus les flaveurs des appellations mentionnées et l'évolution de ces flaveurs avec le temps.

Mais n'oubliez pas, surtout, que ces réserves sont adaptables et interchangeables à votre gré, car c'est votre réserve de bouteilles que vous constituez.

J'invite donc les passionnés du vin à parcourir ce livre comme un guide et à le laisser non loin de leur (future) réserve personnelle de flacons.

Se faire confiance, sans excès, est le mot d'introduction que j'aimerais faire passer; se faire confiance lorsqu'on déguste, lorsqu'on commente et lorsqu'on garde le vin.

J'espère, enfin, que ces lignes démontreront qu'il y a bien plus de plaisirs et de découvertes que d'ennuis et de déceptions dans la gestion d'une cave à vin personnelle; tout comme dans la dégustation.

CHAPITRE 1 : Le vin et moi

1 - Je consomme, donc je suis

A - CONNAÎTRE SA FRÉQUENCE DE CONSOMMATION

Avant de vouloir investir dans une réserve de bouteilles, prenez le temps d'estimer ce que vous consommez annuellement, c'est-à-dire non seulement votre consommation personnelle, mais également celle de votre famille ou de la personne qui partage votre vie. Tenez compte évidemment des soirées chez vous entre amis, des repas où vous apporterez le vin (ami, certains restaurants au Québec, etc.) et des présents que vous pourrez offrir (une fameuse bouteille qui a bénéficié d'une garde soigneuse est un précieux cadeau). Vous pouvez éventuellement tenir compte des réceptions classiques (mariage, baptême, etc.) si vous offrez des vins de votre cellier au cours de ces grands repas.

Vous pouvez procéder comme suit.

Calculez d'abord, en bouteilles, ce que vous buvez par semaine lors de vos repas quotidiens, sans tenir compte de la couleur du vin (nous aborderons ce sujet dans le point suivant). Multipliez le chiffre obtenu par le nombre de semaines dans une année.

Calculez ensuite la quantité de bouteilles qui sont généralement ouvertes au cours des repas mensuels entre amis. Multipliez le chiffre obtenu par le nombre de mois dans une année.

Ajoutez le chiffre obtenu au résultat du premier calcul.

Vous obtiendrez là, déjà, un chiffre très significatif de votre consommation annuelle.

Attention, ce résultat n'est qu'un repère pour établir votre réserve, ce n'est pas le nombre total de bouteilles qui doit la composer.

Exemple

Je consomme 3 bouteilles par semaine.
Je reçois des amis 4 fois par mois et
4 bouteilles sont généralement ouvertes
au cours de ces repas.
3 bouteilles fois 52 semaines + 4 repas
d'amis fois 4 bouteilles ouvertes, fois
12 mois = 156 + (16 x 12) = 156 + 192 =
348 bouteilles consommées par année

Par ailleurs, il y a un point à ne pas négliger en matière de garde de vin, c'est l'excès d'achats. Évitez-le. En effet, dès que l'on devient propriétaire d'un cellier ou d'une cave, on a tendance à acheter excessivement, en ne tenant plus compte justement de la fréquence de sa propre consommation. Il n'est pas facile de gérer correctement une réserve de

bouteilles. «Combien de bouteilles as-tu?» est sans doute la question la plus posée dès qu'on aborde le sujet. Comme si la quantité prévalait sur la qualité… Il est très facile de constituer chez soi une réserve de plus de 500 bouteilles, mais, si vous ne consommez qu'une bouteille par semaine, à quoi cela sert-il? Le vin se perd; même les plus grands.

B - CONNAÎTRE SES GOÛTS ET SES ENVIES
Premier conseil:
N'achetez pas ce que vous n'aimez pas.
Ce conseil peut paraître ridicule ou logique, mais nombreuses sont encore les personnes qui achètent du vin qu'elles n'aiment pas ou pire, qu'elles n'ont jamais goûté. Cependant, comme ON leur a dit que c'était LE vin qu'il fallait avoir en cave, elles en ont acheté.

À la rigueur, si votre budget permet cette dépense parce que le produit méconnu ou non apprécié, mais fameux, servira un jour de cadeau de prestige, soigneusement gardé chez vous, soit.

Mais n'allez pas encombrer inutilement les tablettes de votre réserve avec une caisse d'un produit que vous ne connaissez pas.

Deuxième conseil:
Achetez le vin de la couleur que vous aimez.
Si vous buvez davantage de vin d'une couleur, minimisez les achats de l'autre couleur. Il doit y avoir une rotation des bouteilles conservées, et si par exemple le vin blanc, que vous consommez moins, reste trop longtemps sur vos clayettes, il finira par gêner la place prévue pour le vin rouge.

Votre cave n'est pas celle d'un restaurant. Elle n'appelle pas un équilibre des couleurs, calculé en fonction de la consommation d'une clientèle.

Le client de votre cave, c'est vous. À moins d'offrir des réceptions hebdomadaires où les repas exigent une gamme complète de produits, vous n'avez pas besoin d'avoir autant de vins blancs que de vins rouges, si vous ne buvez jamais de vins blancs. Et vice versa, évidemment.

> **Le vin blanc se garde!**
>
> Ne vous privez pas des vins blancs parce que les idées reçues prétendent qu'ils ne se conservent pas. Les grands vins blancs d'appellations reconnues ou provenant de bons producteurs se gardent souvent plus longtemps que de nombreux vins rouges.

Troisième conseil:
Osez la diversité.
À partir du moment où vous avez établi la couleur préférée de votre vin, goûtez à la diversité dans cette couleur. Si vous n'avez pas de préférence, le conseil est encore plus aisé à suivre.

Il est vrai qu'il existe des vins et des appellations globalement reconnus pour leur qualité de goût et de garde, mais ils ne garantissent pas forcément votre plaisir.

Depuis une dizaine d'années, l'universalisation du commerce du vin permet à l'amateur de goûter les produits de la plupart des pays viticulteurs.

Et la passion du vin aujourd'hui, c'est aussi cela: pouvoir goûter le monde.

Si vous avez la chance, en plus, d'avoir une cave à vin, vous pouvez vous permettre d'avoir une réserve expérimentale et hétéroclite. C'est-à-dire que rien ne vous empêche d'acheter une ou deux bouteilles en provenance de pays qui font du vin depuis toujours, essentiellement consommé localement, mais qui émerge sur les marchés internationaux. Je pense à des pays comme la Hongrie, la Bulgarie, la Grèce, le Portugal, l'Argentine, le Chili, l'Uruguay, le Mexique, Israël, le Liban, etc.

Ce troisième conseil ne contredit pas le deuxième tant que vous expérimentez à la bouteille et non à la caisse.

C - MIEUX CONNAÎTRE LES VINS ET SE FAIRE CONFIANCE

Partout dans les pays francophones, on constate l'essor des foires ou des salons des vins, des associations de sommellerie, des clubs d'amateurs de vin ou des écoles hôtelières qui donnent des cours d'initiation ou autres auprès du grand public. Cette croissance et cette diversité de l'offre témoignent depuis plusieurs années de l'engouement général pour le vin.

En connaissant mieux le vin, on sait mieux l'apprécier, on sait mieux le juger, on sait donc comment mieux le garder. Souvent, sinon toujours, l'inscription à un cours, quel qu'il soit, précède ou suit l'achat d'un cellier (ou la construction d'une cave), ou du moins, la création d'une réserve de bouteilles. Je n'ai pas lu d'études ou de sondages à ce sujet, mais la démarche devrait apparaître naturelle.

Une fois franchie l'étape de l'apprentissage des bases, l'amateur pourra aller dans toutes les directions du goût qu'il veut, selon le marché du vin qui lui est proposé dans son pays. C'est ensuite la personnalité de chacun qui définit le profil d'un passionné du vin. L'amateur débutant se transforme, au fil des années de cours éventuels, assorties surtout de dégustations personnelles et toujours de rencontres, en amateur aguerri, puis en connaisseur. La différence entre le connaisseur et l'amateur, au-delà des considérations d'ego, d'érudition ou de connaissances réelles, propres à chacun, c'est la confiance en soi!

J'écarte de ce propos le professionnel du vin, la personne qui vit de l'un des métiers se rapportant au vin et qui, normalement, étant passionnée, poursuit quotidiennement son instruction. Le connaisseur se fait confiance dans le choix d'un vin alors que l'amateur recherchera d'abord les conseils rassurants du conseiller, de l'expert ou justement, du connaisseur, avant d'acheter! Si l'amateur est déçu par le vin qu'il s'est fait recommander par ledit expert, c'est à ce moment-là qu'il devient connaisseur lui-même car il sait qu'il se fera confiance, lors de son prochain achat!

Trêve de réflexions

Le degré de connaissances est toujours différent d'un amateur de vin à un autre ou d'un connaisseur de vin à un autre. Tout ici est dans la définition donnée aux mots, qui n'est finalement pas importante.

Ce qui est essentiel lorsqu'on monte une réserve de bouteilles, c'est d'accéder progressivement à une confiance en soi en tant qu'acheteur afin que cette réserve ne ressemble pas, au fil des années, à celle que vous avez vue dans un magazine ou un guide.

Une bouteille que vous ouvrirez après un temps de garde plus ou moins long sera toujours meilleure si elle est issue de votre choix, de votre goût, de votre intuition, de votre patience et de votre confiance. Celle que l'expert vous aura conseillée sera excellente, c'est sûr, mais il lui manquera le goût de la fierté.

Et qu'aucun propriétaire de cave ou de cellier ne vienne me dire qu'il n'éprouve pas de fierté devant le temps et la patience consacrés à monter sa réserve de flacons; personne ne le croirait! C'est une fierté légitime parce que c'est celle du plaisir et qu'elle a sa finalité dans le partage et la convivialité.

La plus petite cave composée des vins les plus modestes offrira toujours plus de plaisir si elle porte votre signature et représente vos valeurs que la plus grande cave remplie des plus célèbres crus conseillés par une sommité.

Toutes proportions (de bouteilles) gardées, bien sûr!

Le chapitre 3 de ce livre présente plusieurs exemples de réserves qui tiennent compte des flaveurs des vins et de leurs potentiels de garde.

D - N'OUBLIONS PAS LA CUISINE

En tant que sommelier, c'est en fonction de son harmonie avec des mets que je recommande un vin, tout en étant bien conscient qu'il peut aussi se boire seul. Je n'écris pas ici un livre d'harmonie des vins et des mets, mais quelques mots sur le sujet m'apparaissent essentiels car, lorsqu'on sélectionne une bouteille de sa réserve, c'est, neuf fois sur dix, en fonction de ce que l'on va manger.

> **Faites l'inverse !**
> Sélectionnez ce que vous allez boire, ce que vous voulez boire et déterminez le repas en fonction de la bouteille. Vous aurez au moins la garantie que le vin vous plaira. Ce qui n'est pas assuré dans le cas contraire, même quand on est chez soi.

Quels qu'ils soient, tous les vins du monde peuvent être associés à de la nourriture, aussi simple et banale ou complexe et rare soit-elle. Mais si chaque pot a son couvercle, chaque assiette n'a pas son vin. La sélection du vin sera toujours déterminée par les attentes gustatives de la personne qui mange ce qu'il y a dans l'assiette. Il n'y a donc pas un seul et unique vin pour un plat précis; il y a plusieurs vins qui tendent à l'harmonie avec un plat donné selon ce que l'on aime sentir et ressentir. Sur une viande de bœuf braisée accompagnée d'une sauce épicée, par exemple, un vin rouge mettra en valeur la texture de la viande, tandis qu'un autre révélera les saveurs de la sauce. Cependant, les deux vins auront été des choix judicieux.

Alors, si le sommelier sélectionne les vins d'un restaurant en fonction de la cuisine que l'on y propose, pourquoi ne feriez-vous pas de même, chez vous, en fonction de votre propre cuisine ?

Dans toutes les familles, il y a des plats récurrents, des plats que l'on concocte mensuellement lorsque ce n'est pas hebdomadairement. Et c'est très bien ainsi parce que c'est ce qui fait l'identité d'une famille. L'odeur d'une maison, c'est l'odeur de ceux qui l'habitent. Et habiter, c'est cuisiner.

Il faut donc tenir compte, au moment de l'achat de vos bouteilles, de la cuisine que vous avez l'habitude de faire. Parce que votre réserve de vin est domestique, elle doit ressembler à votre table domestique. Dans la mesure du possible ou de votre volonté…

En matière de vins et de mets, les accords dits « de terroir » offrent généralement une garantie de facilité et de réussite globale. Si votre cuisine est, par exemple, méditerranéenne (provençale, italienne, catalane, etc.), où les poivrons, les tomates, les aubergines et les herbes du même bassin forment les bases, les vins des mêmes régions, qu'ils soient blancs ou rouges, seront toujours des partenaires adéquats.

Sur le sujet des liens entre la cave et la cuisine, vous trouverez d'autres idées dans le troisième chapitre.

2 - J'achète, donc je suis

Le titre de ce deuxième point est tellement symptomatique de notre société actuelle que certaines réserves de vin en sont le reflet. Un psychologue pourrait s'amuser à dresser le portrait d'un amateur de vin en analysant sa réserve de bouteilles. Il pourrait y avoir plusieurs sortes d'analyses: dis-moi ce que tu bois et je te dirai qui tu es; dis-moi ce que tu veux garder et je te dirai ce que tu veux être; ou dis-moi ce que tu gardes et je te dirai ce que tu veux paraître…

Jusqu'au début du XXᵉ siècle, les grandes caves aux noms prestigieux étaient la propriété de familles célèbres et nanties. Les productions de vins d'alors, et particulièrement celles des plus fameux, étaient plus modestes qu'aujourd'hui et essentiellement destinées à une élite sociale.

Le XXᵉ siècle s'est ouvert avec la reconstruction du vignoble européen après la crise phylloxérique, puis vint l'essor du vignoble californien après la Seconde Guerre mondiale. L'émergence des vignobles sud-américain, sud-africain et océanien, grâce aux changements radicaux survenus au cours des années 1980 et 1990 dans les systèmes politiques et économiques des pays concernés, a favorisé l'universalisation du commerce du vin et la démocratisation de sa consommation. Ainsi s'est clôturé le second millénaire de la planète Vin, entraînant chez les particuliers des changements de comportement en matière d'achat et de consommation du vin. Et, à l'image de l'industrie du vin, l'engouement peut provoquer des dérives…

La cave à vin est devenue un témoin de la réussite sociale, voire du niveau d'instruction et parfois, un signe extérieur de richesse.

Lorsqu'on construit une cave à vin, il est très important d'établir un budget. (Même un collectionneur de vins rares en prévoit un, mais la démesure de ses moyens – son budget n'a en effet rien de commun avec celui de tout un chacun – m'épargne la présentation d'exemples.)

Sachez pourtant que, parce qu'il est question ici de passion, votre budget, aussi raisonnable soit-il, vous le dépasserez toujours! Je sais que j'ai écrit plus haut d'éviter les excès dans ses achats, mais cette recommandation concerne surtout les vins de consommation courante qui ne se gardent pas.

A - MON BUDGET
Le budget des bouteilles

Lorsqu'on calcule un budget, c'est pour un achat à long terme, un événement ponctuel mais onéreux ou la répétition régulière d'achats. Ce budget peut être envisagé sur une base mensuelle, annuelle ou autre.

En matière de cave à vin (ou de cellier), l'achat de bouteilles est lié à toutes ces formes de budget. En effet, vous pouvez utiliser les espaces de votre réserve comme entrepôt, pour le long terme – à juste titre –, comme entrepôt temporaire pour les bouteilles à servir à l'occasion d'un événement et, enfin, comme entrepôt de vos bouteilles de consommation quotidienne.

Le budget dont je parle dans ce livre, c'est celui de la construction d'une cave ou celui de l'achat d'un cellier, dans un premier temps, puis celui de l'achat des premiers flacons pour créer la réserve initiale.

Par la suite, une fois que commence la rotation entre ce qu'on achète et ce qu'on boit, il est très difficile de prévoir un budget d'achat de bouteilles, car, dans un premier temps, selon le marché du pays qu'on habite, les bouteilles souhaitées ne sont pas toujours vendues à une période fixe et prévisible et, dans un second temps, leurs tarifs peuvent varier d'une saison à une autre au cours de la même année, d'un marchand à un autre, ou d'une province à une autre.

Et surtout, parce qu'on est dans le domaine de l'envie, et qu'avec le temps on se forge un goût qui nous est propre, on recherche les bouteilles que l'on aime. En général, quel que soit le pays francophone, les nouveaux millésimes tant attendus des pays viticulteurs reconnus sont tous lancés à la même période et c'est à ce moment-là que vous ferez vos achats. Mais, comme vous n'êtes pas seul sur le marché, ni la seule personne à aimer le même vin, votre pouvoir d'achat ne sera pas grand, ou, plutôt, il pourra être en deçà de vos prévisions.

Le budget du cellier

Les prix des celliers, quelle que soit la marque, peuvent varier selon le pays, mais il faut tout de même considérer un budget minimal pour obtenir de la qualité et de la fiabilité.

La catégorie de cellier la plus vendue étant celle qui propose une capacité de 200 bouteilles environ (plus ou moins 20 bouteilles), c'est elle qui sera ma référence. Il faut compter 2500$ (1700€) pour un cellier basique de cette catégorie, équipé correctement.

Je présente dans la rubrique C du chapitre 2 les catégories de celliers avec leurs avantages et leurs inconvénients.

Le budget de la cave construite

Il est évident que, dans le cas d'une construction de cave, le budget à prévoir dépend d'abord de l'espace à transformer, car c'est ce dernier qui définit les composants essentiels d'une cave construite, soit les murs, le plafond et le sol adaptés, la puissance du compresseur (ou unité de réfrigération), la performance de l'humidificateur et la taille des rangements. Généralement, un professionnel de ce type de construction tiendra compte, dans son estimation des coûts, de la capacité en bouteilles que vous souhaitez. Pour une cave construite de base, d'une capacité de 600 à 1000 bouteilles, l'investissement moyen est de 6000 $ (4000 €).

3 - Je pense, donc je suis

J'ai remarqué que, lorsqu'une cave à vin est construite ou qu'un cellier entre dans une demeure, la vie de son propriétaire se met à changer. L'obnubilation du vin le gagne. Il y aura rarement un moment de la semaine, voire de chaque jour, où il ne pensera pas à une ou plusieurs bouteilles à acheter si l'occasion se présente. Et parce que nous vivons dans une société de consommation qui nous harcèle de publicité et d'aubaines, les occasions sont permanentes.

Un amateur de vin qui a sa réserve devient facilement un acheteur compulsif qui justifie un achat non prévu – et donc son comportement déraisonnable – par la rentabilité du vin. Le leitmotiv du passionné cherchant à se déculpabiliser: «De toute façon, ce n'est pas perdu parce que le vin se garde. En plus, il peut prendre de la valeur.» Voilà l'éternel lien entre le vin et l'argent.

Alors, est-ce que l'achat d'une bouteille de vin est vraiment rentable? Une bouteille peut-elle nous apporter plus que ce qu'on a payé pour se la procurer? Sur le plan du plaisir de boire, je l'espère, mais sur le plan matériel, j'en doute, du moins pour le vin en général; en ce qui concerne le vin en particulier, les bouteilles de vin aux grands noms qui gagnent de la valeur, de la valeur rentabilisée par le temps, ne sont pas si nombreuses que cela, au regard du marché mondial.

Et puis il y a des moments pour acheter du vin, des occasions où il pourra être moins cher. Mais cela dépend des circuits de commercialisation, qui diffèrent d'un pays francophone à un autre. À l'exception de la province de Québec, dont le système de commercialisation des alcools est entièrement géré par le gouvernement, seuls le Liban, la France, la Suisse et la Belgique peuvent profiter de plusieurs circuits. Les plus fréquents sont la vente à la propriété, la vente en primeur, la vente par le négociant ou la cave coopérative, la vente chez le commerçant caviste, en épicerie fine, dans les grandes surfaces, dans les salons d'exposition, la vente directe à domicile, la vente par clubs de vin, par agent spécialisé, par correspondance, par téléphone et par Internet. On pourrait penser que cette multiplication de circuits vise la liberté de choix, la garantie de vin de qualité et la garantie du meilleur tarif pour le consommateur, mais son résultat est plutôt de désorienter.

Touché par les stratégies de communication, les politiques d'image et les effets de mode, un vin devient un produit de marketing qui peut perdre sa véritable identité. Cette dernière risque alors de décevoir le consommateur qui a acheté «l'habit plutôt que le moine». Plus que le pays, la région ou l'appellation, le nom du producteur est aujourd'hui le premier gage de qualité d'un vin. Si, il y a encore quelques dizaines d'années, les appellations (surtout françaises et italiennes) garantissaient la qualité et l'honnête fabrication d'un vin, ce n'est malheureusement plus le cas aujourd'hui.

A – POURQUOI ACHETER ?

On n'achète pas un vin qui peut se garder comme on achète une bouteille à offrir aux amis qui nous reçoivent à souper et qu'on partagera avec eux. On achète un vin qui se garde parce qu'il est jeune et qu'on sait qu'il ne sera pas vendu en permanence dans les commerces. Dès la commercialisation d'un nouveau millésime, c'est la ruée vers l'or rouge et blanc qui commence pour les passionnés.

Les grands noms, issus d'un grand millésime, se vendent vite, dès leur mise en marché, quel que soit leur prix. Et, à moins que la mise en marché des alcools de votre pays ne soit tributaire d'un monopole d'État, le prix de ces vins rares grimpera au fil des mois, des commentaires journalistiques et de l'écoulement des stocks.

De nombreux viticulteurs ont aujourd'hui des problèmes financiers pour avoir spéculé sur leurs propres vins en les stockant dans leur réserve. Comptant sur la qualité d'un millésime et les commentaires bienveillants de multiples guides, ils prévoyaient vendre périodiquement une récolte, étalée sur deux ou trois années, le tarif d'un millésime augmentant évidemment au fil des mois et de son épuisement progressif. Cependant, l'amateur de vin d'aujourd'hui, moins dupe et plus avisé, préfère se concentrer sur un bon millésime et attendre une promotion sur les moins bons. Chez certains vignerons, on peut trouver jusqu'à quatre millésimes des dernières années, et en grosse quantité, stockés pour la vente et non pour leur propre consommation ! Est-ce de la gourmandise de leur part ? Sans doute.

Par ailleurs, les amateurs de vin ne doivent pas adopter un comportement semblable, c'est-à-dire attendre les inévitables promotions, car celles-ci concernent le plus souvent les produits ordinaires et non les produits d'exception, dignes de leur réserve.

Le marché du vin est aujourd'hui universel et les producteurs qui vendent hors de leurs frontières distribuent leur produit plus ou moins équitablement auprès de leur clientèle internationale, en fonction de garanties spécifiques et d'analyses particulières.

Les grands vins qui se gardent sont les plus demandés, mais aussi les plus rares.

Depuis plusieurs années, les producteurs du monde entier font davantage de vins prêts à boire dès leur commercialisation (mais qui peuvent tout de même se garder deux ou trois ans) parce que ceux-ci répondent aux attentes du consommateur actuel. Nos sociétés veulent consommer immédiatement et rapidement, tout en se montrant exigeantes sur la qualité des vins. On crée donc des vins aux saveurs universelles, puis l'on charge les spécialistes du marketing de susciter, chez le consommateur, l'envie de ce vin au goût uniformisé.

Le fast-food existe depuis plus de trente ans. Il correspond encore à un mode de vie et il a toujours ses défenseurs. Le «fast-wine» existe depuis moins longtemps, mais il répond aussi aux besoins d'un mode de vie et a aussi ses défenseurs. Ces derniers sont surtout des vignerons peu scrupuleux qui pratiquent la surproduction dans le seul but de plaire à ce client moderne, pressé, satisfait et repu d'avoir ingéré de l'énergie déguisée, plutôt qu'authentique.

L'amoureux du vin qui possède sa réserve apprécie la gastronomie, aime la partager, prend le temps de humer, de goûter ce qu'il aime et d'y réfléchir. Il n'achète pas une bouteille pour se nourrir, mais pour s'en nourrir.

B - COMMENT ACHETER ?

La question porte sur le nombre de bouteilles à acheter d'un même vin. L'achèterez-vous à la bouteille, à la demi-caisse, à la caisse ou en plus grande quantité ?

Vous devez donc d'abord déterminer quels sont vos vins de tous les jours, c'est-à-dire ceux que vous boirez dans l'année, et lesquels vous souhaitez entreposer pour les laisser vieillir. N'oubliez pas qu'avec le temps ces derniers vont prendre de plus en plus de place dans votre réserve et que certains finiront par entrer dans la catégorie des vins de tous les jours. La notion de gestion de la rotation du stock de bouteilles, abordée plus haut, est donc importante.

Si votre cave a une capacité de 300 bouteilles, par exemple, ce n'est pas pour en remplir les logements avec 300 bouteilles différentes. L'intérêt de disposer d'un espace pour le vin, c'est de pouvoir y entreposer un même vin en plusieurs exemplaires.

Une fois que vous avez testé un vin – et l'avez apprécié – et que vous savez dans quelle catégorie de garde il entrera dans votre cave, vous devriez en acheter un minimum de bouteilles. L'achat par lots de six bouteilles est le plus raisonnable, mais idéalement l'achat à la caisse est préférable. Dans les deux cas, il y a l'aspect purement pratique du contenant, qu'il soit en bois (préférable) ou en carton : les bouteilles pourront rester ensemble si le temps vous manque au moment de les ranger chez vous.

La gestion de la consommation est plus aisée à la caisse. Quel que soit le potentiel de garde d'un vin, que vous envisagiez d'ouvrir une bouteille tous les six mois, tous les ans ou tous les trois ans, il est plus facile de répartir douze contenants dans le temps qu'un seul ou deux. Et surtout, cela permet une observation de l'évolution du vin plus intéressante et plus concluante.

Enfin, si on découvre que le vin est bon après quelques années, mais qu'il peut s'améliorer et qu'il reste quelques bouteilles en réserve, le plaisir n'en est qu'accru. Si au contraire le vin est tout juste prêt à boire, ou éventuellement décevant, alors qu'il en reste encore en réserve, il suffit d'inviter quelques

amis à l'occasion d'un repas pour terminer le stock!

Ma réponse à la question « Comment acheter ? » est donc la suivante : à la caisse de douze quand on est sûr de son choix, à la caisse de six pour un vin à découvrir.

C – QUAND CONSOMMER ?

C'est sans doute le point le plus délicat que celui du choix du moment – tant attendu – d'ouvrir la bouteille que l'on a conservée plusieurs années. Est-ce trop tôt, est-ce trop tard ? vous demanderez-vous. La question est toujours présente à ce moment-là et, à vrai dire, personne ne peut y répondre mieux que vous-même.

En effet, au-delà des considérations de garde plus ou moins longue pour tel ou tel château, issu de tel ou tel millésime, le facteur essentiel avant toute chose est votre goût! Qu'est-ce que vous aimez? Si vous aimez boire des vins dits de longue garde quand ils sont jeunes, c'est votre choix et personne ne le contestera. Certes, vous entendrez dire que leurs tanins sont alors trop fermes, que l'harmonie n'est pas au rendez-vous, que l'ensemble est astringent et que ces vins méritent d'être attendus pour présenter leur réelle personnalité. Soit. Vous pouvez même l'admettre. Mais tous les goûts sont dans la nature. Et la liberté prime.

Tout en étant de ceux qui prétendent que le goût s'éduque, et particulièrement le goût du vin, je ne considère pas que boire, par exemple, un Hermitage rouge qui a cinq ans soit du gâchis, tant et aussi longtemps que la personne qui a décidé de le boire y trouve son plaisir.

C'est à ceux qui prétendent qu'il est préférable d'attendre ce genre de vin, d'éduquer la personne intéressée à mieux connaître la magie du vin. Et de lui faire découvrir que, à l'un des chapitres de cette magie, il y a le bonheur des sensations du temps qui transforme le vin.

Le plus bel exemple du fait que l'éducation du goût du vin et de son évolution est nécessaire, est cette anecdote personnelle, que le sommelier à son travail comme n'importe qui, chez soi, au cours d'un repas en famille ou entre amis, peut vivre.

On me commandait un jour, à la table d'un bon restaurant montréalais, un Pauillac de dix-huit ans. L'ayant préalablement goûté, puis décanté, je jugeai le vin parfait et le fis déguster au client. «Monsieur, ce vin me semble bouchonné», me dit-il. Je m'empressai de le vérifier de nouveau, puis confirmai tout de même, avec diplomatie, que le vin n'était pas bouchonné, mais présentait au contraire des arômes à la fois typiques et complexes de champignons et de cuir, et qu'il était également superbe en bouche. En somme, il avait des caractéristiques propres aux très grands rouges du Bordelais qui sont âgés. Mais le client, lui, avait perçu des arômes d'écurie désagréables qu'il associait au bouchonnage. Il avait malgré tout raison. Oui, le vin offrait ces arômes forts et particuliers, impropres aux jeunes vins. Le client est roi, n'est-ce pas? Sans discuter, je remplaçai la bouteille par une autre de la même identité, sachant fort bien, cependant, que la scène allait se répéter. De fait. Dès lors, je préférai lui dire que malheureusement cette seconde bouteille était la dernière de la réserve et je lui en conseillai une autre.

Dans ce cas, c'eût été un véritable gâchis que d'ouvrir une troisième bouteille du même vin (dont il restait évidemment d'autres exemplaires en réserve), car la scène se serait répétée. Ce client était certes curieux de goûter un grand vin âgé, mais il n'était pas avisé sur les caractéristiques de l'évolution des vins. Il accepta ma proposition et préféra d'ailleurs le même vin suggéré, issu d'un millésime plus jeune, et passa un très agréable repas.

Quel que soit le nombre de bouteilles que j'aurais pu ouvrir, ce client les aurait toutes trouvées bouchonnées. Un vin de garde qui a cinq ans n'aura jamais le même goût quinze ans plus tard. C'est sans doute logique, mais ça s'apprend. En goûtant!

Tous les goûts ont-ils beau être dans la nature, avec la liberté de les connaître…

Ce vin est bouchonné: voilà l'argument le plus utilisé par le non-initié pour signifier que le vin qu'il n'aime pas, qui le surprend ou qui le rend malade, n'est pas bon. Le liège a les épaules très larges actuellement même si, effectivement, le problème est réel. Mais on confond trop souvent le bouchonnage du vin avec d'autres désordres olfactifs (ou de simples effets naturels) qui ne font pas partie des propos de ce livre.

Je le répète, votre cellier électrique ou votre cave construite n'améliorera pas le vin acheté. Si le vin est mauvais aujourd'hui, il le sera dans quinze ans.

Comme le réfrigérateur qui, grâce au froid, permet de conserver des aliments qui ont tous une date de péremption naturelle, le cellier ou la cave, grâce à une humidité et à une température particulières, permet de garder des bouteilles dont la date de péremption est décidée par votre goût.

Si vous êtes sur le point d'acheter un cellier, de construire votre cave ou si vous avez déjà votre réserve de bouteilles, c'est que vous connaissez l'effet du temps sur le vin et savez que chaque vin a une limite de potentiel de garde. En effet, certaines appellations offrent de grands plaisirs gustatifs après quelques années d'attente, alors que d'autres en procurent autant, qui sont différents, lorsqu'on les consomme peu d'années après leur vendange.

Le troisième chapitre de ce livre dresse des exemples de vins de différents pays et d'appellations diverses selon leur degré de conservation, avec surtout un aperçu des flaveurs, c'est-à-dire des odeurs et du goût, qu'ils peuvent offrir après certaines périodes de garde.

En 1997, 5000 bouteilles de Champagne, 67 fûts de Cognac et plus de 7000 bouteilles de Bourgogne ont été retrouvés au fond de la mer Baltique dans l'épave d'un paquebot, le Joenskoeping, qui avait sombré en 1915. Tout était intact et plusieurs vins dégustés se sont révélés superbes. L'idée d'immerger des bouteilles pour les conserver fait aujourd'hui son chemin chez plusieurs producteurs et l'industrie du vin tente de nombreuses expériences en laboratoire. À quand l'«aquacellier»?

En 1940, au moment où l'armée allemande envahit la France, de grandes maisons champenoises décident de protéger et de cacher des réserves de Champagne qui attendent dans les crayères. En obstruant des niches et des galeries d'éboulement crayeux, des milliers de bouteilles seront épargnées. Cependant, pendant la guerre, le décès des responsables de ce camouflage et la perte des registres qui mentionnaient les cachettes empêchèrent de les retrouver. Ce n'est qu'au cours des années soixante, lors de l'agrandissement de galeries, qu'on retrouvera les bouteilles.

CHAPITRE 2 : Cave naturelle, cave construite et cellier électrique

1 - Comment faire le bon choix ?

Trois catégories d'espace à réserve de bouteilles peuvent être définies, chacune en fonction de leur infrastructure : la cave naturelle, la cave construite et le cellier électrique.

J'appelle la **première catégorie** cave naturelle parce que celle-ci se situe dans les fondements d'une habitation ou qu'elle constitue elle-même la base d'une habitation. Je ne parle pas ici des caves naturelles réelles (grottes), creusées à même le sol, qu'il soit de pierre, de calcaire, de craie ou de tuffeau, et servant le plus souvent aux producteurs d'espaces d'élevage des vins.

La **deuxième catégorie**, que je nomme cave construite (ou préfabriquée), fait référence à une pièce à part entière de votre domicile (comme l'est votre salon), techniquement aménagée pour recevoir des vins de garde.

Enfin, ma **troisième catégorie**, c'est un appareil électroménager adapté à la garde du vin, le cellier électrique.

Tout autant que votre sélection de bouteilles, le choix de l'une de ces catégories est crucial parce que c'est la première étape d'un projet à long terme.

Attention, lecteur francophone ! Selon le pays et même la région où vous habitez, ce choix pourra être réduit. En effet, les conditions climatiques et la nature du sol particulièrement différentes, par exemple, entre le Liban et le Québec, imposeront une catégorie. L'amplitude thermique au Québec, entre l'été et l'hiver, est telle que la meilleure installation d'une cave construite en vrai sous-sol (structure, isolation, contrôle électronique) peut ne pas y résister. Il sera très difficile de conserver une température moyenne de 12°C et un taux d'hygrométrie de 70% dans votre cave construite, à moins de trois mètres au-dessous du niveau de la rue, s'il fait -30°C à l'extérieur. Même si l'épaisseur du mur entre la cave et la rue est de 50 cm, l'atmosphère de votre repère sera touchée. Il faut donc penser à adapter son choix à l'espace domestique.

2 - Les trois catégories de réserve

A - LA CAVE NATURELLE

Si vous êtes propriétaire d'une vieille bâtisse, généralement plus âgée que vous-même, dont les fondations comprennent une cave, au sous-sol ou au rez-de-chaussée (c'est paradoxal, mais cela existe!), profitez-en! Observez-la, faites-la analyser par un expert et si elle permet la garde de vins, sans exiger des rénovations trop coûteuses, évitez d'investir vos économies dans l'aménagement d'un espace de votre maison en chambre à vin ou dans un cellier électrique. En général, de telles caves seront toujours plus grandes que le cellier électrique le plus volumineux du marché ou la pièce la plus vaste d'une demeure pouvant être aménagée en cellier. Ces caves véritables, qu'on trouve surtout dans les vieilles villes et les vieux villages d'Europe, d'Afrique du Nord, du Moyen-Orient ou dans les premières villes construites d'Amérique du Nord et du Sud, sont le plus souvent creusées assez profondément et sont donc à l'abri des grandes variations de température. La plupart des caves de ce type de maison sont creusées, en moyenne, jusqu'à trois mètres au-dessous du rez-de-chaussée, certaines fondations pouvant même descendre jusqu'à cinq mètres.

Si, enfin, vous faites construire une maison et souhaitez inclure une cave naturelle, demandez à l'architecte et au maçon de tenir compte des points qui suivent. Accessoirement, la valeur de la maison n'en sera que plus élevée si vous deviez la revendre un jour…

J'énumère ci-dessous les éléments principaux devant être réunis pour pouvoir garder du vin dans une cave naturelle. Si vous observez certaines de ces qualités dans votre demeure, ayez la sagesse de faire appel à un professionnel en la matière qui les confirmera ou les infirmera, avant de poursuivre votre projet de garde de vin:

- Un sol en terre battue, en gravillons ou d'une matière aux propriétés similaires qui permet à l'humidité ambiante de se diffuser uniformément en surface ou par évaporation.
- Une température ambiante comprise entre 10 °C et 14 °C. Au-delà de cette température, le vin évolue plus rapidement. Elle peut être plus basse, mais elle ne doit surtout pas atteindre le point de congélation. Généralement, les caves naturelles, quelle que soit la latitude de votre lieu de résidence, ont une température d'environ 10 °C.
- Une ventilation statique, c'est-à-dire, idéalement, une prise d'air dans la partie basse d'un côté de votre cave et une autre dans la partie haute, de l'autre côté. Et si cela est possible, l'une située au nord et l'autre au sud.

- Aucune vibration au sol.
- Une hygrométrie (taux d'humidité) se situant autour de 75 %.
- Une obscurité constante.
- Une hauteur (de passage) suffisante, c'est-à-dire au moins 1,75 m (qui correspond à une taille humaine moyenne). Descendre dans sa cave en restant recroquevillé, penché ou à l'affût du plafond, qui peut vous poncer douloureusement le crâne, est désagréable, mais surtout, cette position n'est pas du tout pratique pour y apporter les bouteilles et les entreposer.
- La tuyauterie et le réseau électrique (ceux de la maison) isolés.

Si, donc, vous êtes l'heureux propriétaire d'une cave naturelle et que, s'il y a lieu, vous pouvez facilement y apporter les modifications nécessaires selon les points ci-dessus, ou mieux, si votre cave possède déjà tous ces éléments, votre investissement ne portera alors que sur les supports à bouteilles.

B - LA CAVE CONSTRUITE

De plus en plus fréquentes, les caves construites (ou chambres à vin) qui constituent une pièce à part entière de votre maison présentent beaucoup d'avantages malgré le gros investissement à consentir au départ. Il s'agit d'un espace de votre maison, situé en rez-de-chaussée ou en sous-sol aménagé, rarement à l'étage – du moins est-ce peu recommandé (aspect pratique, manutention, poids réparti sur le sol) –, dont toutes les propriétés auront été étudiées en fonction de la garde du vin: la facilité d'accès, le volume, les murs et leurs composants, la hauteur et la profondeur, la nature du sol, la température et le taux d'humidité, la lumière, l'esthétique, etc. Tout sera initialement prévu pour que la pièce réponde à vos désirs. L'avantage d'un tel espace réside dans le contrôle de tous les facteurs impliqués dans la garde des précieux flacons. Et ce contrôle est le vôtre, contrairement à la cave naturelle qui, même si elle présente les meilleurs facteurs de garde préétudiés, reste tout de même tributaire, de fait, de la nature. Cependant, comme je le faisais remarquer dans la première partie de ce chapitre, malgré les meilleures technologies utilisées, l'atmosphère de la cave construite peut être tributaire du niveau où elle est implantée. Elle assurera plus facilement son rôle si elle est construite au rez-de-chaussée (c'est-à-dire de 1 m au-dessous du niveau de la rue à 1 m au-dessus de celui-ci). Si vous l'implantez à plus de 1,5 m au-dessous du niveau de la rue, le froid hivernal devient un facteur à étudier dans les paramètres de construction. Plus les murs seront épais, plus le facteur d'isolation sera élevé et plus la température sera stable.

Une porte d'acier dont le cadre est muni d'un coupe-froid est indispensable, et si vous désirez une porte vitrée, prévoyez au moins deux épaisseurs de verre.

Quant au revêtement du sol, il pourra être fait de céramique, de marbre ou d'ardoise selon votre budget et vos envies, mais il ne faudra jamais utiliser de tapis ou de moquette pour des raisons évidentes d'apparitions de moisissures par absorption d'humidité. Veillez en outre à la bonne mise à niveau du sol pour faciliter l'ancrage des supports à bouteilles.

L'éclairage sélectionné ne devra pas dégager trop de chaleur afin qu'il n'enraye pas le système de réfrigération.

Un système de climatisation, permettant une température idéale constante et contrôlable, est recommandé si vous désirez que vos vins vieillissent convenablement. Il n'augmentera pas le potentiel de garde des vins, mais il garantira toujours l'atteinte de ce potentiel. Seul un tel système assurera les conditions atmosphériques classiques d'une bonne cave, soit une température autour de 12 °C et un taux d'hygrométrie autour de 75 %. Enfin, un pare-vapeur est requis si vous installez un système de climatisation. Il sera situé dans le mur, entre l'isolant et du gypse hydrofuge, le tout scellé avec un enduit en latex.

La cave construite est tout indiquée pour les grosses réserves de bouteilles ou, du moins, si l'on projette de posséder un jour une grande quantité de bouteilles. Mais qu'est-ce qu'une grosse réserve de vin ? Au niveau domestique, je considère qu'une réserve est importante quand elle est constituée d'au moins 250 bouteilles. C'est un chiffre « carrefour » qui exige une réflexion sur l'espace qui doit le contenir. Nous verrons qu'au-dessous de 250 bouteilles le cellier électrique est économiquement préférable, mais qu'au-delà il devient plus encombrant que pratique. En revanche, si vous envisagez d'avoir toujours une réserve d'au moins 400 bouteilles et plus, c'est cette catégorie, celle de la cave construite, que je recommande. N'oubliez jamais, comme je l'ai déjà écrit dans le chapitre 2, qu'on achète facilement le double des bouteilles initialement envisagées pour sa réserve, par simple instinct de sécurité, d'assurance ou de confiance. Et par plaisir !

Nous verrons plus loin que les celliers électriques les plus volumineux imposent des limites par le nombre et la polyvalence des compartiments à bouteilles, la technologie qui les alimente et leur esthétique. Aussi, même si les styles évoluent sans cesse, selon les modes et les matériaux de finition, avoir chez soi un caisson réfrigéré du volume de deux voitures superposées n'est, a fortiori, ni pratique, ni beau, où qu'il soit installé et quel que soit son style. Les aspects pratiques des grands celliers à vin sont valables jusqu'à un certain point et ce point délicat, c'est essentiellement le nombre de bouteilles gardées qu'ils proposent.

Un autre intérêt de la cave construite, c'est justement son aspect visuel. Quitte à la construire vous-même ou à la faire construire par un professionnel (ce que je conseille fortement), autant qu'elle soit accueillante et corresponde à vos goûts. Vous pourrez aussi bien choisir le revêtement du sol que le style de clayettes ou de compartiments, prévoir une table de dégustation et ses accessoires, choisir la porte d'accès et toutes les éventuelles décorations murales…

Enfin, le classement des vins par pays, par régions, par couleurs ou par potentiel de garde est plus facile dans une cave construite que dans un cellier, car on y a une vision élargie, sous tous les angles, des bouteilles. Et le confort visuel n'est pas à négliger lorsqu'on cherche une bouteille.

Le développement du marché de la cave à vin domestique est tel, aujourd'hui, qu'absolument toutes les folies sont envisageables, pourvu que votre portefeuille les satisfasse.

En outre, si le cellier électrique peut contenir votre réserve de bouteilles mais qu'il n'entre pas dans vos principes esthétiques de vie domestique, sachez qu'aujourd'hui n'importe quel espace, dit perdu, de votre maison peut être converti en cellier, à condition que ses dimensions soient adéquates. À ce chapitre, c'est la créativité de chacun qui peut être mise à contribution; une cage d'escalier, c'est-à-dire l'espace situé sous les marches, s'il est vide, peut être originalement utilisé en tant que petit cellier, par exemple. Prévoyez cependant un système qui empêchera la vibration des marches causée par la descente et la montée de celles-ci.

Le foyer d'une immense cheminée qui n'est plus fonctionnelle pourra être reconverti également. Ce sont là des formes originales de cellier que j'ai eu la chance d'admirer…

On obtiendra là des armoires à vin uniques, mais attention, le coût de ces conversions faites sur mesure est toujours bien plus élevé que le plus dispendieux des celliers de luxe.

C - LE CELLIER ÉLECTRIQUE

Comme je l'ai écrit dans l'avant-propos, le cellier à vin est aujourd'hui l'électroménager qui a sa place au sein de la famille classique des réfrigérateur, lave-vaisselle, lave-linge ou cuisinière dans une demeure. Cependant, son emplacement est plus polyvalent. La cuisine comme le salon, un cagibi comme la salle à manger, le bureau comme le garage, peuvent le recevoir sans gêner les bases de l'art de l'aménagement domestique. Ces dernières ont d'ailleurs évolué depuis l'intégration de cet appareil dans nos maisons, puisqu'il peut devenir un meuble pratique et décoratif à part entière, une armoire technologique habillée d'un style de menuiserie ou de peausserie (!) à votre goût...

Cette polyvalence a entraîné sa démocratisation tant chez les commerçants que chez les clients. Aussi, le cellier électrique reste un appareil électroménager particulier que je vous conseille d'acheter chez les spécialistes des accessoires bachiques, plutôt que chez les spécialistes de tous les appareils électroménagers. L'expertise, les avis, les conseils et les services après-vente seront toujours plus fiables.

Ce marché est en évolution permanente et il est phénoménal. La compétition entre les marques est mondiale, la recherche technologique est à un niveau particulièrement élevé. Qu'ils soient avec ou sans compresseur, avec ou sans plaques réfrigérantes, avec ou sans porte vitrée, avec ou sans protection contre les rayons ultraviolets, avec ou sans éclairage, avec ou sans filtre à charbon, avec ou sans clayette amovible et/ou coulissante, avec ou sans régulation électronique de température, avec ou sans choix d'habillage, et avec ou sans possibilité de personnalisation, les celliers d'aujourd'hui ont déjà tous des points communs, montés en série.

La compétition ressemble un peu à celle de l'automobile où l'on trouve des modèles comportant des caractéristiques optionnelles ou en série. Cependant, cette compétition n'a pas quinze ans!

Un carnet d'adresses des magasins spécialisés dans les pays francophones et de quelques marques de fabricants est joint à ce livre. Il n'est pas exhaustif, mais les noms cités sont fiables, sur le plan professionnel, et géographiquement pratiques par rapport à votre lieu d'habitation, quel que soit votre pays d'origine.

Tout en écoutant les conseils des vendeurs spécialisés, sachez précisément, avant de vous embarquer dans l'achat d'un cellier, ce que vous voudrez en faire et quelles bouteilles y seront entreposées. Bref, notez vos priorités.

Comme dans le commerce de l'électroménager traditionnel (ou de l'automobile), certains celliers valent plus ou moins que d'autres, selon les formes, le volume, la technologie, les options, les garanties d'achat et le budget requis.

Le cellier électrique est à la mode. Sa fonction première, ses catégories et même son habillage sont

aujourd'hui des sujets de conversation dans les salons. Mais c'est une mode qui évolue vers une standardisation et l'on peut envisager que les maisons sans cave de demain auront leur cellier électrique. Les promoteurs immobiliers proposent déjà des édifices aux appartements ou «condominiums» prémeublés, avec celliers intégrés. Depuis une quinzaine d'années, on boit plus ou moins de vin qu'il y a vingt ans, selon les pays francophones, mais dans chacun d'entre eux, on boit du meilleur vin.

C'est parce que le consommateur désire mieux connaître les vins, s'intéresse à l'art de la dégustation en suivant des cours, apprend à mieux connaître ses propres goûts et se fait confiance dans les achats, qu'est progressivement né le marché du cellier. Un nouveau métier est même apparu depuis l'avènement du cellier électrique: habilleur de cellier. On voit des ébénistes et des maroquiniers s'occuper de l'enveloppe de ces armoires électriques. Faire du vin est un art, savoir construire élégamment son armoire de conservation en devient un!

3 - La réfrigération

Le cellier électrique
Il existe cinq grands systèmes de réfrigération courants.

Par circulation d'air:
Un ventilateur pousse l'air chaud, un autre pousse l'air froid.

Par plaques réfrigérantes:
Une plaque diffuse le froid par gravité, du niveau supérieur ou inférieur.

Par parois réfrigérantes:
C'est l'enveloppe antérieure du cellier qui est entièrement réfrigérante.

Par circulation d'ammoniaque:
C'est un principe de réfrigération qui date du début du XXe siècle. Ce système est sans compresseur, donc sans bruit et sans vibration. Un micro-processeur ouvre et ferme une valve pour que le liquide se diffuse entre les parois externes et internes du cellier. C'est un système efficace et silencieux, mais la variation de température peut être plus grande, du fait d'une diffusion lente de l'ammo-niaque.

Par système mixte:
C'est un système comportant une plaque réfrigérante et un ventilateur. La plaque réfrigérante est plus petite que celle du système du même nom et le ventilateur ne pousse ni air chaud, ni air froid, comme dans le système du même nom, mais il sert à uniformiser la circulation de l'air et de la température.

La cave construite
Avec les murs spécifiquement construits, la climatisation est ici primordiale.

Sous forme de caisson dont le volume dépend généralement de la puissance (BTU), le climatiseur (ou compresseur) permet une température constante, une ventilation permanente et une hygrométrie idéale.

Les variétés techniques sont finalement peu nombreuses par rapport aux variétés de marques et je ne présente ici que deux modèles qui m'apparaissent les plus fiables et les plus pratiques.

Les *modèles encastrables* se fixent en traversée de paroi; par exemple, d'un côté la cave et de l'autre, le garage ou un local technique ventilé.

Les *modèles intégrables* sont des appareils monoblocs intégrés: ils s'installent entièrement à l'intérieur de la cave, avec une gaine d'arrivée d'air extérieure et une gaine d'évacuation de l'air chaud. C'est la solution conseillée si la paroi extérieure donne sur des parties communes de la maison ou dans le cas où l'évacuation de l'air chaud ne peut se faire qu'à l'extérieur de l'habitation.

Ces modèles sont également plus discrets, invisibles de l'extérieur, donc à l'abri des regards fureteurs. Ils tiennent par ailleurs une place dans la cave, qu'on pourra habiller habilement en prenant garde de ne pas gêner leur fonction première.

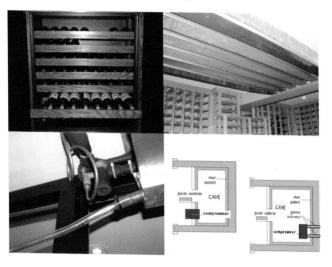

4 – Les rangements

Le cellier électrique

Communément appelées tablettes ou clayettes (support réglable à claire-voie), les supports à bouteilles des celliers peuvent être en métal, en bois ou en plastique et, dans ce domaine aussi, ils présentent plusieurs options pratiques et esthétiques, selon les marques.

Par ailleurs, comme c'est en matière de rangement que ces marques se distinguent, vérifiez surtout les supports qui sont montés en série ou en option, car les ajouts de haut de gamme peuvent augmenter la facture initiale de 30%.

Voici une petite liste de ces options de luxe: un séparateur de compartiment (pour cellier à deux

températures), des étiquettes magnétiques d'identi-
fication des vins, des finis de façades de tablettes
personnalisés, des espaces de rangement pour le format magnum, des couvertures antirouille de différents procédés, etc.

Cette énumération peut effrayer ou faire sourire,
mais elle démontre bien jusqu'où les fabricants se
sont rendus en moins de dix ans.

La cave construite

Les rangements pour les caves construites sont sans
doute plus simples et moins fantaisistes, car les
espaces qui les accueillent se ressemblent, sont plus
vastes et plus aménageables. L'engouement populaire pour la garde du vin a cependant poussé les
constructeurs à innover en fonction des demandes
du consommateur et de leurs propres recherches.
On voit donc aujourd'hui des systèmes de rangement de toutes les sortes, de toutes les matières, de
toutes les dimensions et de toutes les formes.

Qu'ils soient modulables, amovibles, fixes,
ancrés, d'installation verticale ou horizontale, avec
ou sans diviseurs diagonaux ou verticaux, en cèdre
rouge, en chêne massif, dans un autre bois
hydrofugé ou non, en métal émaillé ou non émaillé,
en polyuréthane ou d'une autre matière adaptée,
avec ou sans filin métallique émaillé, avec ou sans
support à magnum, ces systèmes ont tous des avantages et des inconvénients en fonction de l'utilisation de votre réserve.

Il existe également un système de rangement pour
les caisses de bois seules. Les bouteilles restent dans
les caisses qui sont déjà identifiées par le producteur
et elles sont disposées sur des supports de métal qui

coulissent grâce à des claires-voies. Ce système est pratique, car on n'a pas à sortir puis à classer les bouteilles une à une. Accessoirement, il est original et esthétique, car l'ensemble présente une sorte de mur de bois aux armoiries des domaines.

Cependant, ces supports limitent le nombre de caisses et surtout, c'est la gestion de ce qui entre et de ce qui sort qui devient délicate car le classement des bouteilles, laissées dans les caisses, est moins visible que dans les rangements traditionnels.

On peut certes mélanger des bouteilles dif-férentes dans une même caisse et gagner en richesse de produits, mais le logiciel de cave devient alors providentiel pour la gestion.

Ce système de rangement est surtout intéressant pour les restaurateurs dont l'écoulement des stocks est rapide.

La cave naturelle

Le plus souvent en brique ou en ciment (en pierre de taille pour les vieilles demeures) puisqu'elle repré-sente les fondements de la maison, la cave construite peut contenir des niches très pratiques pour le classement des bouteilles. Ces niches peuvent avoir été préalablement percées et aménagées lors de la construction de la résidence.

On peut également refaçonner, idéalement, dans le même matériau du soubassement de la maison, des murets perpendiculaires aux murs de base qui formeront des compartiments. Ce système est parti-culièrement utilisé dans les caves de vignerons. Ces compartiments ressemblent, en taille réduite, à des stalles d'écurie. Des milliers de bouteilles de Champagne « sur pointes », c'est-à-dire posées à même le sol sur leur goulot, attendent ainsi avant la phase de dégorgement.

Ce système de rangement est surtout intéressant pour les énormes réserves, rarement domestiques, mais il peut s'avérer original si l'on sait techniquement l'adapter (compresseur), par exemple dans une ancienne grange à la campagne. On conserve l'aspect pittoresque des lieux tout en leur donnant une nouvelle fonction.

Enfin, il existe aujourd'hui des niches et des casiers de rangements amovibles, aux formes multiples adaptées à votre espace et en matériau de toute sorte (argile, sable, pierre volcanique, calcaire). La plupart des commerces spécialisés vendent ces accessoires très pratiques et très efficaces.

5 - La finition et les options des celliers électriques

La standardisation est désormais présente. Quelles que soient les marques, elles présentent toutes les mêmes capacités de bouteilles à la vingtaine près, les mêmes choix de portes, les mêmes choix de matériaux de couverture, les mêmes choix de couleurs d'habillage ou les mêmes choix de clayettes. Cependant, elles se distinguent dans la qualité et la finition de leurs équipements standardisés.

Ainsi, demandez des précisions sur l'isolation, les joints d'étanchéité, les thermostats, les serrures, les ampoules et le système d'éclairage, les qualités de verre des portes, les types de poignées et les systèmes d'alarme sonore. Ce sont ces détails anodins qui, en cas de problème, ne sont pas forcément sur la garantie d'achat et qui peuvent entraîner des coûts importants, car les pièces de remplacement sont propres au fabricant.

En ce qui concerne les options, tout est possible puisque même l'habillage en cuir est disponible! Cependant, elles sont souvent onéreuses parce qu'elles sont futiles comparées à la fonction première du meuble. Voici ce qui est généralement proposé: la variété des teintures du bois, la variété des finis métalliques, le sablage décoratif des portes de verre, la

présence uniforme de l'éclairage, l'habillage en bois d'un modèle initialement métallique, la marqueterie, etc.

6 – Les gammes de celliers électriques selon leur capacité de rangement de bouteilles

Les gammes présentées ci-dessous selon le nombre de bouteilles à stocker qu'elles offrent peuvent varier de 10 à 20 bouteilles selon les marques de fabrication.

Les chiffres choisis ici doivent donc être envisagés comme des repères mathématiquement pratiques et non spécifiques.

- Moins de 70 bouteilles

Mon conseil:
Au bureau ou en appoint du réfrigérateur dans la cuisine

À moins qu'aucun espace de votre maison ou de votre appartement ne puisse plus contenir davantage que le volume de deux machines à laver et qu'aucun endroit ne puisse être aménagé en cave construite, n'investissez pas dans un cellier de moins de 70 bouteilles, chez vous. C'est une perte d'argent dans la réalisation d'une réserve de bouteilles.

Les petits celliers (de 36 à 70 bouteilles) sont sans doute pratiques, mais leur utilité est vraiment paradoxale à l'esprit de la garde des vins. Ils sont uniquement utiles pour garantir un maintien adéquat mais de courte durée de vos bouteilles à la bonne température, car leur capacité ne permet pas une rotation rentable et bonificatrice de ces dernières.

Ils possèdent rarement un système de contrôle numérique de température et sont moins fiables que leurs grands frères à cause du principe de l'inertie thermique des liquides.

Ces petits celliers sont des celliers d'appoint.

Ce sont de luxueux contenants pour les bureaux d'entreprises, les cabinets particuliers ou les salles de conférences. Ils garantiront surtout une température adéquate de consommation d'une bouteille qu'on débouchera soudainement.

C'est l'instrument luxueux de l'amateur de vin, davantage exigeant sur la température de service du vin que sur celle de sa garde et qui stockera une petite réserve de bouteilles afin que celles-ci puissent être ouvertes à tout moment pour invité(s) surprise, client(s) de marque ou subite célébration personnelle ou collective.

Ces celliers ne remplacent pas une cave, contrairement aux autres de capacité supérieure.

Ils peuvent seconder le réfrigérateur de votre cuisine si absolument aucune autre possibilité ne se présente à vous.

Pour l'amateur de vin nanti, le petit cellier permettra éventuellement d'y placer, la veille d'un

événement, des bouteilles remontées de la cave ou déplacées du cellier électrique plus imposant.

Enfin, en général, pour 20 % de plus du prix de cette gamme, vous pouvez obtenir un cellier qui doublera la capacité de stockage des bouteilles.

- De 70 à 200 bouteilles

Mon conseil:
Pour consommateur raisonnable, qui n'envisage pas les gardes de vins très longues
Pour la résidence secondaire (chalet, appartement à la mer), en appoint d'une première réserve de la résidence principale

À partir de cette gamme, il faut savoir que la capacité de stockage peut varier facilement selon un rangement debout ou couché des bouteilles, c'est-à-dire qu'on vous vendra un cellier avec une capacité de chargement minimal (toutes les bouteilles sont couchées) et une capacité de chargement maximal (une partie des bouteilles pouvant être entreposée debout). En effet, la base de ces celliers peut servir de niveau à rangement debout. Un gain de 20 % de la capacité minimale peut être ainsi obtenu.

- De 200 à 500 bouteilles

Mon conseil:
Pour consommateur régulier, passionné mais non collectionneur et non spéculateur

C'est sans doute la catégorie la plus vendue à l'heure actuelle, car elle offre des celliers fiables et diversifiés du point de vue technologique, polyvalents du point de vue rangement et encore sobres du point de vue esthétique. En général, les volumes des celliers de cette catégorie respectent ceux des pièces d'une maison traditionnelle, ainsi que ceux des meubles usuels avec lesquels on peut intégrer ces appareils sur le plan stylistique.

• Au-delà de 500 bouteilles

Même remplis à moitié, ces celliers sont particulièrement lourds. Ne pensez donc pas le déplacer au gré de vos humeurs ou d'un éventuel déménagement. Si vous investissez dans cette catégorie, soyez certain de pouvoir entreposer le cellier dans un endroit adéquat et définitif. Ce sont d'énormes caissons dans lesquels, pour certains, vous pouvez avoir le plaisir de pénétrer (type «walk-in»), mais où le charme n'est pas le même que celui d'une cave naturelle ou construite. Leur capacité de rangement va de 700 à 3000 bouteilles environ, selon les marques.

Enfin, dans la catégorie simple, efficace mais coûteuse, et à condition d'avoir l'emplacement extérieur, il y a la solution du bunker enterré, à considérer comme une cave construite.

C'est un espace préfabriqué en béton armé, à la taille standardisée ou personnalisée qui est déposé dans un trou creusé dans votre cour ou dans votre jardin. Il est même possible de l'installer de façon à ce

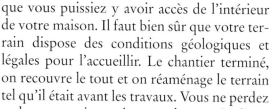

que vous puissiez y avoir accès de l'intérieur de votre maison. Il faut bien sûr que votre terrain dispose des conditions géologiques et légales pour l'accueillir. Le chantier terminé, on recouvre le tout et on réaménage le terrain tel qu'il était avant les travaux. Vous ne perdez ni espace de votre maison, ni espace de votre jardin et vos flacons sont protégés de la lumière, des vibrations et des fluctuations de température.

Au Moyen Âge, en Europe, les noms de rue et les numéros de maison n'ayant pas encore été créés, la façade des commerces présentait un symbole populaire qui les identifiait. Celui des tavernes pouvait être un fût ou une couronne de sarments séchés entrelacés. Lorsque cette dernière était décorée de feuilles de vigne ou de fleurs encore fraîches, elle signifiait que le vin était nouveau.

L'été, les Amérindiens du Canada conservaient leurs aliments et leurs vins d'écorce, de cerises, de miel ou autres, en les entreposant à la surface de fosses fabriquées durant l'hiver. Elles étaient toujours orientées vers le nord et elles étaient remplies de glace ou de neige compactée, puis imprégnées de sciure de bois en guise d'isolant. Un drain d'écoulement des eaux était creusé au fond de la fosse. Les dernières traces écrites en Amérique du Nord de ces réfrigérateurs naturels remontent au XVIIe siècle.

CHAPITRE 3 : SAVOIR CHOISIR SES VINS

1 - Conseils et exemples de réserves

A - CONSEILS

Puisque, essentiellement, on boit du vin en mangeant, il ne faut pas négliger ses habitudes alimentaires dans le choix des vins.

En restauration, un bon sommelier n'est pas celui qui crée une carte des vins avec des noms exceptionnels, reconnus, convoités ou rares pour impressionner le client; c'est d'abord celui qui constitue une carte dont les vins s'harmoniseront avec le style de cuisine que le restaurant propose.

Une cave domestique doit avant tout se constituer ainsi, car votre restaurant quotidien, c'est votre table.

Tout en respectant vos goûts viniques, il existe des garanties d'harmonie avec les mets plus évidentes que d'autres.

L'harmonie et le terroir

En prenant le temps d'analyser l'origine, les accents ou les influences des saveurs des plats récurrents que vous préparez chez vous, vous pourrez constituer un cellier à votre image de gourmet.

Si votre cuisine s'inspire de celle qu'on goûte très précisément en Piémont, en Toscane, en Sicile, en Provence, au Pays basque, en Bourgogne, en Catalogne, en Andalousie, ou dans bien d'autres régions, une majorité de vos vins pourront provenir de celles-ci et faciliteront l'harmonie à table.

Si la palette des saveurs de vos plats est plus large ou moins rattachée à une tradition, votre réserve de vin proposera une zone géographique plus étendue. Elle peut être continentale ou nationale et, par exemple, orientée principalement sur l'Italie, l'Espagne, la France, les Amériques ou l'Océanie.

Elle peut également être internationale mais plus orientée sur le style des vins comme ceux, par exemple, du bassin méditerranéen, d'Europe rhénane ou centrale, ou de la côte ouest américaine.

Généralement, les grandes régions viticoles sont des régions de traditions culinaires et de gastronomies typiques. Ce qu'offre leur terroir, qu'il soit solide ou liquide, puis transformé ou non par l'homme, se combine merveilleusement avec leurs vins.

L'harmonie et la nourriture végétarienne

On peut apprécier le vin et ne pas manger de viande, qu'elle soit blanche ou rouge. Mon exemple n'écarte pas ici les poissons et les fruits de mer. La gamme des vins à accorder avec des mets sera certes moins étendue, mais n'en reste pas moins complète. C'est essentiellement dans la gamme des vins rouges que le choix sera plus délicat. La structure tannique de certains empêche de parfaites harmonies avec des légumes, des céréales, des poissons ou des crustacés malgré l'apport de sauces, d'aromates ou d'accompagnements divers les plus adaptés.

La gamme des vins blancs se prête davantage à la nourriture végétarienne, car leurs caractéristiques gustatives se ressemblent. Les notions de fraîcheur, de vivacité, de croquant, de velouté, de soyeux ou de moelleux sont les plus fréquentes.

Dans la gamme des vins rouges, il y a des appellations ou des cépages cultivés dans une zone précise, présentant plus de souplesse et plus de légèreté, qui conviendront davantage aux mets végétariens. Les vins rouges du Beaujolais, de Savoie, de Champagne, de Suisse, de Slovénie ou de Tunisie sont des exemples parmi d'autres. Le gamay, le pinot noir, la mondeuse, le sangiovese ou le merlot issus de terroirs particuliers s'accordent plus facilement que d'autres cépages avec la nourriture macrobiotique (Niagara, Alsace, Côte chalonnaise, Basse-Autriche, Ahr, Valais, Tessin, Primorski, etc.).

Si vous ne mangez pas de viande et que vous pensez encore que le vin est banni de votre table, malgré votre attrait pour lui, orientez vos essais vers ces régions mentionnées qui offrent des vins moins riches et tout aussi attrayants que les plus connus.

B - EXEMPLES DE RÉSERVES

Parce que ce livre aborde le sujet de la conservation des vins, les exemples de réserves sont essentiellement constitués de vins (régions, appellations) qui ont un potentiel minimal de garde de trois ans, après leur commercialisation.

Les marchés de vins étant différents d'un pays à un autre quant au choix et à la diversité qu'ils offrent, il se peut que certains vins ou certaines appellations conseillés ne soient pas en vente dans votre pays ou votre région.

Comment lire ces exemples de réserves ?

Ils sont présentés sous forme de tableaux afin de faciliter la lecture.

Je suggère deux sortes de durée de conservation: la première dite de jeunesse et la seconde dite de plénitude.

Celles-ci sont conseillées avec les flaveurs

dominantes que procure le vin: les flaveurs de jeunesse et les flaveurs apportées par les effets du temps. Mais il ne faut pas les tenir pour acquises.

Ces caractéristiques olfactives et gustatives sont globalement observées en dégustations verticale et horizontale*.

Si vous aimez l'arôme du cassis, il conviendra mieux de boire, par exemple, un vin du Médoc jeune plutôt qu'âgé d'une quinzaine d'années, les arômes dits fruités ou floraux tendant à disparaître avec le temps, dans l'univers du vin.

Cependant, certains jeunes vins, issus d'appellations précises, peuvent développer des arômes qu'on décèle généralement dans tous les vins après plusieurs années de garde.

Le plaisir du bon vin réside aussi dans cette complexité aromatique, tributaire de la nature et du temps.

Il vous sera cependant plus facile de sentir des arômes dits de jeunesse dans un vin qu'on considère âgé pour sa catégorie (c'est d'ailleurs un signe de qualité) que de sentir des arômes dits de plénitude, dans un vin jeune, quelle que soit sa catégorie.

Selon vos envies, vos attentes et votre patience, vous pourrez vous inspirer de ces exemples en fonction des mentions de flaveurs des vins suggérés.

---

* La *dégustation verticale* consiste à apprécier plusieurs millésimes d'un même vin et la *dégustation horizontale* consiste à apprécier des vins différents mais qui ont en commun l'appellation, le millésime ou le mode d'élaboration.

La première permet d'analyser l'évolution du vin au cours des années et la seconde permet de relever le style et les caractéristiques propres à ce qu'ils ont en commun.

Quatre réserves sont présentées : une française, une italienne, une européenne et une universelle

La France et l'Italie sont sans doute les pays qui offrent, encore aujourd'hui, le plus grand choix de styles de vins qui se gardent longtemps.

Il me semble donc normal de les proposer en référence initiale.

La réserve européenne est axée sur les principales régions des autres pays viticoles d'Europe.

Selon vos goûts et vos choix, il suffit de puiser dans les deux premiers exemples de réserves pour compléter et équilibrer votre cellier dit européen.

Je suis la même démarche pour l'exemple de la réserve universelle afin de me concentrer sur les pays viticoles des Amériques, d'Afrique, du Moyen-Orient et d'Océanie.

Même si la plupart des pays suggérés élaborent et du vin blanc et du vin rouge, il se peut que l'une ou l'autre de ces deux catégories n'apparaisse pas pour un pays, mon choix s'étant essentiellement porté sur une couleur digne d'intérêt dans une réserve de vin, à garder.

Étant donné les capacités différentes de stockage en cellier ou en cave, les exemples de réserves que je propose sur une base simple sont calculés en pourcentage.

La réserve initiale étant de cent bouteilles, il suffit de convertir le pourcentage en fonction de la capacité de vos rangements.

La Réserve française

Appellation	Années de jeunesse		Années de plénitude		Nombre de bouteilles
	Vin blanc	Vin rouge	Vin blanc	Vin rouge	
Bordeaux Médoc / Haut-Médoc	/	2 – 4 ans	/	5 – 15 ans	3
flaveurs envisagées		Petits fruits rouges et noirs, eucalyptus, poivron vert, chêne		Cassis, mûres, sous-bois, champignons, cuir	
Bordeaux Médoc : appellations communales et crus classés	/	4 – 7 ans	/	8 – 25 ans et +	6
flaveurs envisagées		Poivron vert, bourgeon de cassis, groseille, griotte, cassis, poivres, thym, cuir, café		Prune, confiture de fruits rouges, pain grillé, tabac, bois fumé, goudron, cèdre, fourrure, truffe	
Bordeaux Rive droite et Côtes	2 – 4 ans	2 – 4 ans	4 – 6 ans	5 – 15 ans	3
flaveurs envisagées	Fruits blancs, fleurs	Poivrons, menthe, framboise, cassis, fraise, bois de chêne, vanille, épices	Foin, amande	Chêne, café, sous-bois, fruits rouges, pain d'épice, réglisse, cuir, cèpe	
Bordeaux Graves	4 – 6 ans	3 – 7 ans	6 – 12 ans	8 – 25 ans et +	3
flaveurs envisagées	Pomme, poire, rose, lys, agrumes, menthe, vanille	Humus, laurier, griotte, myrtille, épices variées	Camomille, paille fraîche, pâte d'amandes, miel, cèdre	Tabac, pin, caramel, goudron, girolle, cuir	
Bordeaux Libournais	/	5 – 7 ans	/	8 – 25 ans et +	4
flaveurs envisagées		Fruits rouges, violette, champignons, réglisses, cacao, épices		Foin, pruneau, noix de Grenoble, truffe, cannelle, gibier, écurie	
Bordeaux Sauternais	4 – 7 ans	/	10 – 40 ans et +	/	2
flaveurs envisagées	Pêche, abricot sec, fruits exotiques, miel, amande et noisette fraîches		Miel, sucre roux, mélasse, sirop d'érable, amande douce, orange confite, fruits secs		

Appellation	Vin blanc	Vin rouge	Vin blanc	Vin rouge	
Bourgogne Chablis et Auxerrois	3 – 6 ans	2 – 3 ans	7 – 15 ans	3 – 5 ans	3
flaveurs envisagées	Chèvrefeuille, fleurs blanches, pomme, pierre à fusil, noisette	Cerise, noyau de cerise, eucalyptus	Compote de pommes, miel, amande	Bois, épices douces	
Bourgogne Côte de Nuits	2 – 4 ans	3 – 5 ans	4 – 7 ans	5 – 10 ans	4
flaveurs envisagées	Genêt, miel, pomme, poire	Rose, pivoine, tomate, cerise, pain d'épice. menthe, sous-bois	Amande, noisette	Champignons, odeurs animales, noyaux de fruits	
Bourgogne Côte de Beaune	3 – 6 ans	3 – 6 ans	6 – 10 ans	6 – 12 ans	4
flaveurs envisagées	Bruyère, églantine, lilas, fenouil, praline, mie de pain	Fruits rouges mûrs, sous-bois	Cire d'abeille, brioche, amande grillée, vanille	Balsa, sous-bois, tabac blond, cannelle	
Bourgogne Côte chalonnaise Mâconnais	3 – 5 ans	4 – 7 ans	6 – 10 ans	5 – 10 ans	3
flaveurs envisagées	Fleurs, amande, noisette, tilleul, fruits secs, violette	Fruits rouges, noyaux de fruits, poivres, vanille	Noisette, amande grillée, vanille	Confiture, épices, cuir	
Bourgogne Côte de Nuits (1er cru et Grd cru)	3 – 5 ans	6 – 9 ans	6 – 15 ans	10 – 25 ans	4
flaveurs envisagées	Raisin blanc, fleurs blanches, mie de pain, amande	Fraise, cerise, cassis, violette, bois, Zan, poivres, vanille	Amande douce, beurre, miel, cake	Fruits confits, cuir, épices, musc, réglisse, truffe	
Bourgogne Côte de Beaune (1er cru et Grd cru)	4 – 7 ans	4 – 7 ans	10 – 25 ans	8 – 15 ans	4
flaveurs envisagées	Noisette, chèvrefeuille, paille, fleurs, miel	Fruits rouges, framboise, pain d'épice	Cannelle, amande grillée, beurre, miel, brioche, résine	Fruits rouges cuits, bois, cuir, sous-bois, truffe	
Beaujolais	2 – 3 ans	2 – 3 ans	3 – 4 ans	3 – 4 ans	1
flaveurs envisagées	Tisane, acacia, noix, fleurs blanches, poire	Cerise, noyau de cerise, fraise, groseille, mûre, banane, poivre gris, chêne	Amande, beurre	Violette, pivoine, griotte	
Crus du Beaujolais	/	2 – 4 ans	/	4 – 7 ans	2
flaveurs envisagées		Cassis, framboise, raisin noir, rose, bois		Épices, kirsch, poivre blanc	

Appellation	Vin blanc	Vin rouge	Vin blanc	Vin rouge	
Alsace	3 – 5 ans	2 – 4 ans	6 – 10 ans	/	3
flaveurs envisagées	Pomme, citron, abricot, rose, litchi, noix de coco, silex, diesel	Noyau de cerise, kirsch, banane, fraise, bonbon anglais	Minéral, épinette, naphte, mine de plomb		
Alsace Grands Crus	4 – 6 ans	/	7 – 15 ans	/	2
flaveurs envisagées	Lime, ananas, mangue, litchi, rose fanée, fumée, pin, pétrole		Aubépine, bruyère, odeurs terpéniques, mine de plomb, balsa		
Alsace VT et SGN	6 – 10 ans	/	10 – 30 ans et +	/	2
flaveurs envisagées	Abricot sec, pêche, fruits secs, litchi, rose, compote de pommes, citron confit, miel		Miel, mélasse, sucre de canne, amande douce, frangipane, brioche, sucre roux, sirop d'érable		
Loire Pays nantais	2 – 3 ans	/	4 – 6 ans	/	2
flaveurs envisagées	Agrumes, pomme, acacia, pierre à fusil, silex, iode		Fruits blancs confits, amande		
Loire Anjou et Saumur	4 – 6 ans	2 – 3 ans	6 – 20 ans	4 – 7 ans	3
flaveurs envisagées	Citron, fleurs	Framboise, poivrons, violette	Miel, vanille, noix de coco	Poivres, épices, champignons	
Loire Touraine	3 – 5 ans	3 – 4 ans	5 – 8 ans	4 – 8 ans	3
flaveurs envisagées	Fruits secs, beurre	Framboise, fraises sauvages, poivrons, violette	Pamplemousse, beurre, noisette	Fruits rouges, poivres, kirsch	
Loire Centre	2 – 3 ans	1 – 2 ans	4 – 7 ans	2 – 3 ans	3
flaveurs envisagées	Feuille de cassis, citron, citronnelle, herbes, silex, pomme	Cerise, groseille, terre, végétaux	Paille sèche, cailloux, raisins blancs secs, viennoiseries	Griotte, bois, fumé et fumée	
Loire Liquoreux	5 – 10 ans	/	10 – 30 ans et +	/	2
flaveurs envisagées	Botrytis, fleurs, coing, miel	/	Frangipane, sucre roux, sucre de canne, miel, mélasse, fruits secs	/	

Appellation	Vin blanc	Vin rouge	Vin blanc	Vin rouge	
Côtes du Rhône Septentrionales	3 – 5 ans	3 – 7 ans	6 – 15 ans	8 – 25 ans et +	4
flaveurs envisagées	Violette, pêches provençales, foin	Framboise, cassis, mûre, poivres, épices	Miel, abricot, fruits secs	Cuir, épices, tabac, truffe, réglisse	
Côtes du Rhône Méridionales	3 – 5 ans	3 – 7 ans	6 – 10 ans	8 – 25 ans et +	5
flaveurs envisagées	Fleurs, végétaux, fruits confits	Framboise, cassis, mûre, groseille, cerise, myrtille, pruneau, anis, épices	Pâte d'amandes, pêche, fruits secs	Cuir, épices, tabac, truffe, réglisse, vanille	
Provence et Corse	3 – 6 ans	3 – 7 ans	5 – 10 ans	7 – 15 ans	3
flaveurs envisagées	Tilleul, noisette, amande	Confiture de fruits rouges, griotte, garrigue	Fruits blancs secs, brioche	Cuir, épices, tabac, truffe, réglisse, vanille	
Languedoc-Roussillon	3 – 5 ans	4 – 8 ans	5 – 10 ans	9 – 15 ans	4
flaveurs envisagées	Fruits exotiques, fleurs, fenouil	Fruits rouges, cassis, bois, garrigue, vanille, poivres	Fruits blancs secs	Réglisse, sous-bois, épices, cuir	
Languedoc-Roussillon Vins mutés	5 – 8 ans	5 – 8 ans	8 – 20 ans	8 – 25 ans et +	2
flaveurs envisagées	Fruits exotiques, citron, miel	Confiture de fruits rouges, épices	Cire d'abeille, fruits secs, miel	Vanille, café, cacao, rancio	
Sud-Ouest Garonne	2 – 4 ans	3 – 7 ans	4 – 7 ans	8 – 20 ans	3
flaveurs envisagées	Pomme, poire, miel	Fruits rouges, poivrons, bois, pruneau, encre	Miel, fleurs blanches	Truffe, épices, cuir	
Sud-Ouest Pyrénées	3 – 4 ans	4 – 8 ans	4 – 7 ans	9 – 20 ans	3
flaveurs envisagées	Fruits confits, cire d'abeille	Pruneau, mûre, myrtille, encre de Chine, fourrure, musc	Miel, fruits exotiques, compote de pommes	Épices, cèdre, pain grillé, truffe	
Sud-Ouest Liquoreux	5 – 8 ans	/	9 – 20 ans	/	1
flaveurs envisagées	Miel, fruits confits, fleurs sauvages		Pain grillé, frangipane, brioche		
Jura	3 – 5 ans	3 – 5 ans	5 – 7 ans	5 – 8 ans	2
flaveurs envisagées	Fruits secs, noisette	Fruits rouges, eau-de-vie, herbes	Amande, pierre à fusil	Bois, fruits macérés	

Appellation	Vin blanc	Vin rouge	Vin blanc	Vin rouge	
Jura Vin jaune et Vin de paille	10 – 20 ans	/	20 – 50 ans et +	/	2
flaveurs envisagées	Miel, fruits mûrs, noix, pain chaud		Noisette, amande grillée, toast		
Savoie	2 – 4 ans	3 – 5 ans	5 – 8 ans	6 – 8 ans	2
flaveurs envisagées	Aubépine, violette, silex, noisette	Cerise, eau-de-vie, herbes, végétaux	Miel, noix	Épices douces, fruits compotés	
Champagne millésimé	2 – 5 ans	/	6 - 12 ans	/	3
flaveurs envisagées	Feuille de vigne, fruits rouges, pomme, beurre, mie de pain, vanille, amande, fruits secs, café		Miel, pain grillé, brioche, viennoiseries, cappuccino, vanille, noisette, caramel, cacao		

La Réserve italienne

Appellation	Années de jeunesse		Années de plénitude		Nombre de bouteilles
	Vin blanc	Vin rouge	Vin blanc	Vin rouge	
Abruzzes	2 - 3 ans	2 - 4 ans	3 - 5 ans	5 - 7 ans	3
flaveurs envisagées	Fruits blancs et agrumes	Petits fruits rouges et noirs	Fruits secs	Épices, sous-bois	
Basilicate	2 - 3 ans	3 - 6 ans	4 - 6 ans	7 - 10 ans	3
flaveurs envisagées	Agrumes	Mûre, framboise, boisé, poivres	Amande fraîche	Humus, épices, tabac, bois fumé	
Calabre	3 - 5 ans	3 - 6 ans	5 - 10 ans	6 - 12 ans	3
flaveurs envisagées	Fleurs, fruits secs	Fruits mûrs, bois de chêne, épices	Abricot sec, miel	Confiture de fruits rouges, champignons, tabac	
Campanie	3 - 6 ans	3 - 7 ans	6 - 8 ans	8 - 10 ans	3
flaveurs envisagées	Pomme, poire, fleurs blanches, amande grillée	Myrtille, confiture de prunes, griotte, épices variées	Pâte d'amandes, amande grillée, miel, cèdre	Épices, fourrure, cèdre	
Campanie Taurasie	/	4 - 6 ans	/	7 - 12 ans	3
flaveurs envisagées		Prune, cerise, boisé, résine		Cuir et épices, champignons	
Émilie-Romagne	2 - 4 ans	3 - 5 ans	4 - 6 ans	6 - 8 ans	3
flaveurs envisagées	Fleurs, pêche, miel	Fruits rouges mûrs, végétaux, amande	Boisé, beurre	Fruits rouges, figues, épices, boisé	
Émilie-Romagne Albana di Romana Dolce et Albana di Romagna Passito	3 - 5 ans	/	5 - 8 ans	/	2
flaveurs envisagées	Miel, cire		Amande, fruits secs		
Frioul-Vénétie-Julienne	3 - 6 ans	4 - 6 ans	6 - 8 ans	6 - 10 ans	3
flaveurs envisagées	Cailloux, pomme, fleurs blanches, melon	Mûre, framboise, poivrons	Pêche, rose, toast	Cerise, eau-de-vie, cuir	
Frioul-Vénétie-Julienne Romandolo	4 - 7 ans	/	8 - 15 ans	/	4
flaveurs envisagées	Fleurs, pêche blanche, miel		Abricot sec, amande douce, châtaigne		

Appellation	Vin blanc	Vin rouge	Vin blanc	Vin rouge	
Latium	3 - 4 ans	2 - 3 ans	5 - 7 ans	4 - 8 ans	4
flaveurs envisagées	Vanille, miel, herbes, agrumes	Cerise, noyau de cerise, baies noires	Écorces d'agrumes, viennoiseries	Épices douces	
Ligurie	2 - 4 ans	3 - 5 ans	4 - 7 ans	5 - 7 ans	3
flaveurs envisagées	Amande, fruits blancs	Fruits rouges, bois	Foin, compote de pommes	Fruits confits, épices	
Lombardie	3 - 5 ans	3 - 6 ans	5 - 7 ans	6 - 8 ans	3
flaveurs envisagées	Fruits blancs, fleurs	Fruits rouges violette, végétaux	Fruits secs	Sous-bois, tabac blond, épices	
Lombardie Valtellina	/	3 - 6 ans	/	6 - 12 ans	3
flaveurs envisagées		Violette, framboise		Cuir, sous-bois, truffe	
Marches	3 - 5 ans	4 - 7 ans	5 - 7 ans	5 - 8 ans	3
flaveurs envisagées	Agrumes, fleurs	Baies noires, épices, poivres	Fruits exotiques, pain grillé, miel	Épices, cuir, vanille	
Molise	3 - 4 ans	3 - 5 ans	5 - 7 ans	6 - 8 ans	3
flaveurs envisagées	Raisin blanc, pêche	Violette, prune, mûre, bois	Amande douce, cake	Épices	
Ombrie	2 - 4 ans	3 - 5 ans	4 - 7 ans	4 - 7 ans	2
flaveurs envisagées	Fleurs blanches, herbes fraîches	Fruits rouges, poivrons, mûre, cerise			
Ombrie Montefalco Sagrantino	/	4 - 6 ans	/	6 - 10 ans	3
flaveurs envisagées		Mûre, cerise, petits fruits des bois, poivres		Épices, confiture de fruits rouges	
Ombrie Torgiano Rosso Riserva	/	4 - 7 ans	/	7 - 15 ans	3
flaveurs envisagées		Fruits noirs, vanille		Champignons, cuir, cacao	
Piémont	3 - 5 ans	3 - 6 ans	5 - 7 ans	6 - 10 ans	3
flaveurs envisagées	Salade de fruits, citron	Fruits rouges, violette, rose, épices	Cannelle, amande	Fruits noirs, bois, cuir, truffe, sous-bois	

Appellation	Vin blanc	Vin rouge	Vin blanc	Vin rouge	
Piémont Barbaresco-Barolo-Carema-Gattinara-Ghemme	/	5 – 8 ans	/	9 – 25 ans et +	6
flaveurs envisagées		Violette, rose, épices		Baies rouges cuites, muscade, cuir, épices, tabac	
Pouilles	2 – 3 ans	2 – 5 ans	3 – 4 ans	5 – 7 ans	2
flaveurs envisagées	Fleurs blanches, pomme	Muscat, réglisse, fruits rouges	Foin, tisane	Épices, griotte, vanille	
Sardaigne	2 – 3 ans	2 – 4 ans	4 – 6 ans	4 – 8 ans	2
flaveurs envisagées	Pêche, poire, melon, iode, silex	Fruits rouges, cacao, épices	Abricot, miel	Bois, vanille	
Sicile	3 – 4 ans	2 – 4 ans	5 – 6 ans	5 – 8 ans	2
flaveurs envisagées	Agrumes, noisette, miel	Cassis, poivrons, poivres	Brioche, fruits secs	Épices, cuir	
Sicile Marsala Vergine / Soleras	6 - 10 ans		10 – 20 ans et +		2
flaveurs envisagées	Abricot, prune, figue, datte, vanille , réglisse		Caramel, sirop d'érable, sucre de canne, cappuccino, chocolat		
Sicile Marsala Soleras Stravecchio / Soleras Riserva	10 – 15 ans		15 – 25 ans et +		2
flaveurs envisagées	Abricot, prune, figue, datte, vanille, réglisse		Caramel, sirop d'érable, sucre de canne, cappuccino, chocolat		
Toscane	3 – 5 ans	3 – 6 ans	5 – 8 ans	6 – 8 ans	4
flaveurs envisagées	Pomme, raisins, fleurs, abricot, fruits confits	Violette, épices, fruits noirs et rouges	Noisette, miel	Confiture de fruits rouges, poivres, cuir, champignons	
Toscane Bolgheri Sassicaia	/	6 – 8 ans	/	8 – 15 ans et +	2
flaveurs envisagées		Fruits rouges mûrs, musc, vanille		Cuir, tabac, fourrure	
Toscane Chianti et Chianti Classico	/	4 – 7 ans	/	8 – 15 ans	5
flaveurs envisagées		Violette, confiture de fruits rouges, olive, café		Poivres, goudron, cuir, torréfaction	
Toscane Brunello di Montalcino	/	5 – 8 ans	/	8 – 15 ans et +	4
flaveurs envisagées		Violette, poivres, fruits rouges		Tabac, cuir, fumée, truffe, réglisse	

Appellation	Vin blanc	Vin rouge	Vin blanc	Vin rouge	
Toscane Vin Santo (Del Chianti et Di Montepulciano)	3 - 4 ans	3 - 4 ans Occhio di Pernice	5 - 10 ans	5 - 10 ans Occhio di Pernice	2
flaveurs envisagées	Fruits confits, miel, noisette	Fruits confits, miel, noisette	Figue, frangipane, caramel, café	Figue, frangipane, caramel, café	
Trentin - Alto Adige	2 - 4 ans	1 - 2 ans	4 - 6 ans	4 - 7 ans	2
flaveurs envisagées	Pomme, citron, rose, litchi	Fruits noirs, cassis, épices, réglisse	Fruits secs, fruits exotiques	Violette, sous-bois	
Val d'Aoste	2 - 3 ans	2 - 3 ans	3 - 5 ans	3 - 6 ans	2
flaveurs envisagées	Fruits blancs, agrumes	Violette, cerise	Amande, pain frais	Noyau de cerise, fumé	
Vénétie	3 - 5 ans	3 - 5 ans	5 - 8 ans	5 - 8 ans	3
flaveurs envisagées	Fleurs blanches, raisins, pain grillé, farine	Fruits des bois, cassis, poivrons, herbes	Fruits secs	Boisé, épices douces	
Vénétie Amarone della Valpolicella	/	6 - 10 ans	/	10 - 20 ans et +	3
flaveurs envisagées		Épices, cerise, amande amère		Fourrure, cuir, fruits cuits, sous-bois	

La Réserve européenne

Appellation	Années de jeunesse		Années de plénitude		Nombre de bouteilles
	Vin blanc	Vin rouge	Vin blanc	Vin rouge	
Allemagne	2 - 4 ans	2 - 4 ans	5 - 7 ans	5 - 7 ans	2
flaveurs envisagées	Agrumes, pomme, minéral	Petits fruits rouges	Fruits secs	Cerise, sous-bois	
Allemagne Beerenauslese et Tockenbeerenauslese	5 - 8 ans	/	8 - 25 ans	/	1
flaveurs envisagées	Fruits confits, fruits secs, miel		Compote de pommes, cire d'abeille, sucre roux, épices		
Autriche	2 - 4 ans	2 - 4 ans	5 - 7 ans	5 - 8 ans	2
flaveurs envisagées	Agrumes, fruits blancs, pomme, minéral	Noyau de cerise, épices	Fruits secs	Fruits rouges, champignons	
Autriche Beerenauslese, Ausbruch et Tockenbeerenauslese	5 - 8 ans	/	8 - 25 ans	/	1
flaveurs envisagées	Fruits confits, fruits secs, miel		Compote de pommes, cire d'abeille, sucre roux, noix, épices		
Croatie	3 - 5 ans	/	5 - 7 ans	/	2
flaveurs envisagées	Fleurs blanches, pomme		Fruits secs		
Espagne Catalogne	2 - 5 ans	4 - 7 ans	5 - 8 ans	8 - 20 ans et +	4
flaveurs envisagées	Agrumes, fruits exotiques, vanille	Fruits rouges, violette, champignons, épices	Noisette, fruits secs	Fruits noirs compotés, truffe, gibier, écurie	
Espagne Galice, Pays basque, Rioja, Navarre, Aragon	2 - 5 ans	4 - 7 ans	5 - 8 ans et +	8 - 20 ans et +	5
flaveurs envisagées	Fruits blancs (pomme, poire), fruits exotiques, herbes	Fruits rouges et noirs, boisé, vanillé, épices	Fruits secs, vanille	Épices, cuir, vanille, cacao, odeurs animales	
Espagne Castille-Manche, Castille-Leon, Levant	2 - 4 ans	3 - 7 ans	4 - 8 ans	7 - 15 ans et +	3
flaveurs envisagées	Pomme, fruits exotiques, eau-de-vie	Fruits rouges, poivrons, poivres, pruneau, encre	Compote de pommes, amande	Bois, épices, cuir	

Appellation	Vin blanc	Vin rouge	Vin blanc	Vin rouge	
Espagne Andalousie	2 – 4 ans	3 – 5 ans	4 – 7 ans	5 – 10 ans	2
flaveurs envisagées	Pomme, poire, abricot sec	Fruits rouges	Amande, noisette	Noyaux de fruits, cuir, sous-bois	
Espagne Xérès, Montilla-Moriles	5 – 10 ans		10 – 25 ans et +		2
flaveurs envisagées	Pêche séchée, abricot sec, amande, noix, vanille		Noisette, tabac, café, caramel, curry, rancio		
Grèce	3 – 5 ans	3 – 6 ans	5 – 8 ans	6 – 10 ans	3
flaveurs envisagées	Fruits blancs, abricot, résine, pin	Fruits rouges, poivrons, épices	Brioche, amande grillée, vanille	Sous-bois, fruits rouges cuits	
Hongrie	3 – 5 ans	4 – 7 ans	5 – 8 ans	5 – 10 ans	2
flaveurs envisagées	Pomme, tilleul, épices	Fruits rouges, poivrons, poivres, vanille	Noisette, amande grillée, vanille	Confiture de fruits rouges, épices, cuir	
Hongrie Tokay	7 – 15 ans	/	15 – 40 ans et +	/	2
flaveurs envisagées	Miel, abricot, agrumes, épices		Amande douce, cire d'abeille, cake, mélasse, café, rancio		
Luxembourg	3 – 5 ans	/	5 – 8 ans	/	2
flaveurs envisagées	Pomme, poire, fleurs blanches, noisette, pain grillé		Fruits secs, figue, vanille		
Portugal Autour du Douro	3 – 5 ans	4 – 7 ans	5 – 8 ans	7 – 15 ans	4
flaveurs envisagées	Fruits blancs, fruits secs, iode	Fruits rouges, framboise, pain d'épice	Amande grillée, vanille, brioche	Confiture de fruits rouges et noir, bois, cuir, sous-bois, truffe	
Portugal Autour de Lisbonne	3 – 5 ans	4 – 7 ans	5 – 8 ans	7 – 12 ans	4
flaveurs envisagées	Agrumes, fruits secs, fleurs	Cerise, noyau de cerise, fraise, groseille, mûres, poivres, chêne	Amande, fruits secs	Confiture de fruits rouges et noir, bois, cuir, sous-bois, truffe	
Portugal Porto Vintage	/	5 - 10 ans	/	10 - 25 ans et +	5
flaveurs envisagées		Fruits rouges et noirs, épices, torréfaction, cuir		Zeste d'agrumes, amande douce, noix, caramel, mélasse, café, rancio, odeurs animales	

Appellation	Vin blanc	Vin rouge	Vin blanc	Vin rouge	
Portugal Madère	7 – 15 ans		15 – 40 ans et +		2
flaveurs envisagées	Pain grillé, fumée, figue, noisette		Fumé, rancio, caramel, cacao, épices		
Roumanie	4 – 6 ans	3 – 5 ans	6 – 9 ans	5 – 10 ans	2
flaveurs envisagées	Pêche, abricot, bois, pomme, poire, fleurs	Fruits rouges, fruits noirs, poivrons, poivres		Épices, fruits compotés, sous-bois, cuir	
Suisse	3 – 5 ans	3 – 5 ans	6 – 12 ans	5 – 12 ans	4
flaveurs envisagées	Fleurs blanches, pierre à fusil, agrumes, pêche de vigne	Noyau de cerise, kirsch, cassis, mûres, bonbon anglais	Amande, noisette, épices, coing	Épices, humus, cuir	
France Voir tableau de la réserve française					23
Italie Voir tableau de la réserve italienne					23

La Réserve universelle

Appellation	Années de jeunesse		Années de plénitude		Nombre de bouteilles
	Vin blanc	Vin rouge	Vin blanc	Vin rouge	
Afrique du Sud	3 - 6 ans	3 - 6 ans	6 - 10 ans	6 - 15 ans et +	4
flaveurs envisagées	Fruits exotiques, salade de fruits, agrumes, vanille	Fruits rouges cuits, bois, épices	Compote de fruits, fruits secs	Confiture de fruits rouges, épices, tabac, cuir	
Algérie	/	2 - 4 ans	/	4 - 8 ans	2
flaveurs envisagées		Fruits noirs et rouges, poivres, végétaux		Fruits cuits, épices, musc	
Argentine	2 - 4 ans	2 - 5 ans	5 - 8 ans	5 - 10 ans	2
flaveurs envisagées	Fleurs blanches, fruits exotiques	Petits fruits rouges et noirs, eucalyptus, poivron vert, encre de Chine, chêne	Fruits secs, pain grillé	Fruits cuits, cassis, mûres, sous-bois, champignons, cuir	
Australie	4 - 7 ans	3 - 5 ans	7 - 10 ans et +	5 - 12 ans et +	4
flaveurs envisagées	Pêche, abricot sec, fruits exotiques, vanille, noix de coco	Fruits rouges et noirs, poivres, végétaux, confiture de fruits	Amande douce, fruits secs, vanille	Confiture de fruits, odeurs animales, sous-bois	
Chili	3 - 6 ans	3 - 7 ans	6 - 10 ans	7 - 15 ans et +	4
flaveurs envisagées	Fruits exotiques, fleurs blanches, fruits secs, bois	Fruits rouges et noirs, végétaux, bois, cuir, épices	Fruits secs, beurre, pain frais	Fruits noirs, champignons, odeurs animales	
Canada	3 - 5 ans	3 - 6 ans	5 - 10 ans	6 - 10 ans	3
flaveurs envisagées	Fleurs, fruits exotiques, silex, pomme, poire, noisette	Fruits rouges et noirs, poivrons, menthe, vanille, épices	Fruits blancs, fruits secs, vanille, tisane	Chêne, sous-bois, fruits rouges, cuir, cèpe	

Appellation	Vin blanc	Vin rouge	Vin blanc	Vin rouge	
Canada Vin de glace	3 – 5 ans	3 – 5 ans	5 – 12 ans	5 – 12 ans	2
flaveurs envisagées	Pêche séchée, abricot sec, marmelade, miel, cire d'abeille	Poivrons, cassis, mûre, framboise, bois	Sirop d'érable, sucre de canne, sucre roux, mélasse, café	Fruits rouges cuits, torréfaction	
États-Unis d'Amérique	4 – 6 ans	3 – 7 ans	6 – 9 ans	7 – 10 ans	2
flaveurs envisagées	Pomme, poire, fruits exotiques, agrumes, vanille	Fruits rouges, poivrons	Vanille, noisette, eau-de-vie	Fruits rouges, épices	
États-Unis d'Amérique Californie et Oregon	4 – 6 ans	4 – 7 ans	7 – 12 ans	8 – 15 ans et +	5
flaveurs envisagées	Fruits exotiques, fleurs blanches, fruits secs, pierre à fusil, vanille	Fruits rouges, violette, champignons, réglisse, cacao, épices	Fruits secs, fleurs fanées, amande, miel, pain grillé	Confiture de fruits rouges, truffe, cannelle, gibier, écurie	
Liban	3 – 5 ans	4 – 7 ans	6 – 10 ans	5 – 15 ans	4
flaveurs envisagées	Fruit blancs, fleurs, amande, noisette, tilleul, fruits secs, violette	Fruits rouges, noyaux de fruits, poivres, vanille	Noisette, amande grillée, vanille	Confiture de fruits rouges, sous-bois, épices, cuir	
Maroc	/	2 – 4 ans	/	4 – 8 ans	2
flaveurs envisagées		Cassis, épices, framboise, bois, raisin noir		Épices, eau-de-vie, poivre noir, musc	
Mexique	/	3 – 5 ans	/	5 – 8 ans	1
flaveurs envisagées		Fruits rouges mûrs, épices, sous-bois		Confiture de fruits rouges, sous-bois, tabac, épices	
Nouvelle-Zélande	3 – 5 ans	3 – 5 ans	5 – 8 ans	5 – 8 ans	3
flaveurs envisagées	Silex, genêt, pierre à fusil, miel, pomme, poire, vanille, fruits exotiques	Fruits rouges, poivrons, épices	Fleurs blanches, amande, noisette, pain grillé	Champignons, odeurs animales, noyaux de fruits	
Tunisie	/	2 – 4 ans	/	4 – 8 ans	2
flaveurs envisagées		Cassis, cerise, framboise, raisin noir, épices, bois		Épices, eau-de-vie, poivres, musc	
Europe Voir tableaux des réserves de France, d'Italie et d'Europe					60

2 - Entre l'insolite et le système D

A - DEUX ASTUCES ACCEPTABLES

L'astuce temporaire: le garage

On prend souvent la décision d'acheter un cellier
électrique ou de faire construire une cave lorsque les
bouteilles s'accumulent dans le garage, une pièce
encore disponible de la maison ou un couloir. Si
vous êtes encore à cette étape, que j'espère temporaire, voici quelques points à ne pas négliger.

De tous ces endroits, le garage est effectivement
le meilleur compromis, car c'est une pièce rarement
chauffée, rarement décorée de matières périssables
(papier peint, moquette) et plus humide que les
autres endroits de la maison. Si on parvient à y
établir un périmètre spécifique pour les bouteilles,
puis à installer des supports qui les accueilleront,

c'est encore mieux. Mais cette solution doit être temporaire, même si l'on prend soin d'y placer régulièrement un seau d'eau qui procurera un effet d'humidité. En effet, entre la voiture qui entre et qui sort (gaz d'échappement), les vibrations au sol, les cloisons non adaptées, une luminosité plus présente qu'absente et une température ambiante certes acceptable si elle reste constante et ne dépasse pas 20°C, mais qui fera vieillir plus vite vos bouteilles, ce système de conservation ne vous garantira jamais l'efficacité idéale.

L'astuce sans garantie: le débarras adapté
Au cours de la rédaction de ce livre, j'ai eu l'occasion de visiter de nombreuses caves privées; je devrais écrire de nombreuses réserves privées, car les bouteilles étaient bien entreposées mais pas dans ce qu'on appelle communément une cave.

Certains amateurs démontrent une ingéniosité étonnante pour éviter l'achat d'un cellier ou l'installation d'un compresseur dans un endroit aménagé.

L'une de ces créations, la plus fiable, est la transformation d'un débarras de cinq à six mètres carré (ce pourrait être une garde-robe spacieuse) en cave construite. L'originalité réside dans la reconversion d'un réfrigérateur classique de cuisine en mur réfrigérant. La porte du réfrigérateur est retirée et celui-ci est positionné de façon à ce que l'intérieur soit exposé face à l'espace qui accueille les bouteilles. De part et d'autre des flancs du réfrigérateur sont jointes et isolées deux parties d'un mur. Une porte vient cacher, de l'autre côté, l'arrière du meuble électrique, évidemment branché, permettant un accès facile pour des réparations éventuelles.

L'ensemble du débarras, sa porte et ses murs auront été isolés et réadaptés. Les étagères internes du réfrigérateur peuvent alors servir à entreposer des vins blancs ou mousseux, puisque le refroidisseur qui y a sa source procure davantage de froid en ce point précis. L'ingéniosité de ce bricolage réside aussi dans le calcul de la diffusion du froid dans cet espace mesuré pour que la température ambiante tourne autour de 10 °C. Et l'hygrométrie, me direz-vous? Un seau d'eau, dont le niveau est régulière-ment vérifié, est posé sur le sol de béton.

Ce système artisanal peut être valable lorsqu'un espace, tout de même adaptable de votre maison, est réellement inutile à tout autre service domestique essentiel.

B - CE QU'IL FAUT PRÉVOIR AFIN D'ÉVITER DES PERTES DE TEMPS ET D'ARGENT

- Ayez des bouteilles aux potentiels de garde différents afin, d'abord, de varier les plaisirs de la dégustation, puis d'éviter de vous impatienter en ouvrant une bouteille qui peut encore vieillir alors qu'une autre, différente, est sans doute prête à boire.

- Les grands vins sont chers, voire inabordables, et ce sont souvent ceux-là qui peuvent se garder longtemps. L'achat à la caisse permet parfois d'obtenir un rabais, cependant, douze, vingt-quatre ou trente-six bouteilles seront toujours plus chères qu'une seule.

  Pensez alors à partager cet achat avec un ou plusieurs proches, amateurs de bon vin comme vous. Vous aurez de plus, plus tard, la joie d'analyser ensemble l'évolution visuelle, olfactive et gustative de ce vin.

- Tous les domaines ne proposent pas le format en demi-bouteille, mais, si cette contenance n'est pas fiable pour la garde du vin, elle est agréable à bien des égards : transport facile (pique-nique, voyage), facilité de stockage (petit volume qui comble les espaces morts de votre cave), consommation facile (pas de gaspillage, modération), utilisation rentable en cuisine, etc.

  Prévoyez donc un emplacement de demi-bouteilles (autour d'une vingtaine) pour les vins courants et, surtout, pour les vins effervescents (mousseux, Champagne) ou les vins mutés (Porto, Xérès, etc.). On finit plus facilement une demi-bouteille de ces deux dernières catégories à deux qu'une bouteille traditionnelle.

- Conservez quelques demi-bouteilles vides. Si du vin issu du format 75 cl est entamé et qu'il reste moins de la moitié de la bouteille, vous pouvez la transférer dans une demi-bouteille. Le vin se conservera davantage, car il y aura moins d'oxygène entre le bouchon et le liquide que dans une bouteille de 75 cl.
- Pensez à la bouteille-cadeau. En achetant une caisse de vin, il est facile de retirer du lot une bouteille qui sera offerte à un ami ou à un parent, pour une occasion spéciale.

  Vous pouvez inscrire sur une collerette, sur l'étiquette ou la contre-étiquette, la date d'achat et le nom de la personne à qui vous comptez l'offrir, un jour... Quelle que soit la durée de conservation avant que vous ne l'offriez et au-delà de la valeur marchande de la bouteille qui aura pu augmenter, la valeur de votre geste de prévenance sera inestimable aux yeux de votre ami ou de votre parent.
- L'amateur d'étiquettes de vin peut envelopper de papier d'aluminium une sélection de bouteilles, ce qui protégera l'étiquette des dégâts éventuels dus à l'excès d'humidité.
- Consacrez la plus grande partie de votre espace aux vins de garde, à ceux qui seront prêts à boire tardivement après leur achat ou qu'on ne trouve plus sur le marché après quelques années. Le reste de l'espace accueillera les vins de consommation courante et leurs compartiments progressivement vidés seront comblés par d'autres bouteilles à garder. Cette rotation d'achat et de consommation dans la gestion de votre cave vous amène généralement, après une quinzaine d'années, à ne boire que des vins qui ont autour de dix ans.

En Europe, jusqu'à la Renaissance, le vin qui était vendu dans les tavernes n'était pas le même pour tout le monde. Il y avait le vin destiné au peuple et le vin qu'on servait à la noblesse. Aussi, les classes sociales qui ne pouvaient entrer dans la taverne avaient le droit d'acheter du vin qu'on distribuait dans un pot par une trappe ou un soupirail de la cave de l'aubergiste, directement dans la rue.

Au fur et à mesure du temps qui s'écoule, l'espace qui sépare le miroir du bouchon de la surface du vin dans la bouteille s'agrandit et accroît les risques d'oxydation. Ce «creux» est un signe que le bouchon, devenu poreux, est à changer. On procédera également à la remise à niveau du vin. Ce reconditionnement ne s'applique que si l'on juge, d'abord, que le liquide peut encore dormir quelques années. Certains domaines prestigieux acceptent ce rafraîchissement et sacrifient un millésime identique du même vin, s'ils en possèdent encore, ou ajoutent le même vin, mais d'un millésime plus jeune aux caractéristiques comparables. Quant au nouveau bouchon, il devient la preuve d'authenticité en étant marqué du cru et de la date du reconditionnement. Cette pratique, tout de même rare, ne s'applique que tous les 30 ou 40 ans.

chapitre 4 : survol historique de l'origine des caves

1 – De Cro-Magnon aux premières civilisations

Rien ne permet aujourd'hui de dire que l'homme de Cro-Magnon, premier représentant de l'*Homo sapiens* en Europe (vers 30 000 av. J.-C.) a reconnu les qualités du froid pour la garde des aliments. Cependant, les endroits dans lesquels il vécut, qui sont davantage des grottes creusées par l'érosion des eaux que des caves qu'il aurait creusées, ont certainement été, aussi, les premiers espaces pensés en tant que garde-manger. Nous savons que ces grottes étaient utilisées en période froide alors qu'aux périodes plus chaudes les habitations étaient à ciel ouvert, près de courants d'eau, construites à partir de défenses et de peaux de mammifères, de cages thoraciques animales et d'os divers. Peintures rupestres et vestiges nous apportent les preuves des premiers contenants de garde et il est certain que les grottes étaient des lieux de conservation d'aliments en saisons chaudes. Certes le vin n'existe pas, l'alcool non plus évidemment; du moins, nous n'en avons aucune trace! L'alcool acquis n'existe pas, mais l'alcool naturel? En laissant des fruits pourrir, donc fermenter, des levures et de l'alcool apparaissent forcément.

Faisons-nous le plaisir alors d'imaginer que notre ancêtre le plus direct prit conscience de ce phénomène et de son résultat, qu'il prit goût à celui-ci, qu'il tenta de l'apprivoiser pour enfin essayer de le conserver au mieux, dans ses grottes, pour ses soirées d'hiver! La première cave de conservation d'alcool aurait pu naître ainsi…

Maintenant transportons-nous 25000 années plus tard (vers 500 av. J.-C.) et plaçons-nous en Europe orientale, au Proche-Orient – la Mésopotamie d'alors – ainsi qu'en Égypte. S'il est aujourd'hui prouvé par la méthode du carbone 14 que c'est à l'âge de pierre, dans la région du Caucase, que la culture de la vigne a débuté, rien ne prouve que l'homme de cette période a cherché à conserver le produit de la transformation du raisin en jus. Cette nécessité nous apparaît évidente aujourd'hui, ne serait-ce qu'en pensant à l'instinct de survie, cependant aucune trace concrète n'en est parvenue jusqu'à notre époque. Grâce aux fouilles qui ont mis au jour des réceptacles (cuves, amphores, jarres, pots ou vasques) dont certains contenaient encore des céréales, et grâce à la découverte de stèles et de tablettes votives, nous savons que les Sumériens, les Akkadiens, les Hittites ou les Babyloniens connaissaient le principe de la fermentation, même s'ils ne l'expliquaient pas. C'est surtout la bière (d'alors)

– qui était davantage consommée que le vin (d'alors) – que l'on cherchait à produire, puis à conserver à l'abri de la chaleur et de la lumière. En effet, ces deux boissons, plus pâteuses que liquides, étaient surtout considérées comme des offrandes et associées aux rites religieux. Aussi, à l'une comme à l'autre, parce que leurs textures et leurs saveurs étaient instables, on ajoutait toujours des épices aux caractères précis selon la divinité qui était louée. Les caves d'alors n'étaient pas des espaces mais bien les larges contenants aux formes et aux volumes variés, propres à chaque culture, qu'on enterrait dans la terre ou le sable, à l'extérieur ou à l'intérieur des logements, et qu'on couvrait de peaux, de bois ou de fibres tressées. La bouteille, grâce au miracle du verre, apparaît à cette époque, mais son utilisation est essentiellement sacrée et non pratique. Curieusement, le secret de la fabrication du verre disparaîtra de l'Occident au cours des premiers siècles de l'ère chrétienne. Exceptionnellement voué aux réalisations d'objets précieux et sacrés ou à celles d'une vaisselle destinée aux plus riches, quelles que soient les sociétés, le verre, dur mais trop fragile, est délaissé pour l'argile, l'os ou le bois. Il ne réapparaîtra que vers le haut Moyen Âge européen.

Les conflits en période trouble et les échanges commerciaux en période plus calme permettent la transmission des connaissances techniques et l'Égypte, qui est à l'origine de nombreuses tailles et conduites de la vigne, apporte également son savoir pour la conservation des boissons. Les boissons mixturées sont davantage conseillées que l'eau seule, car cette dernière, tirée de puits, de sources ou de rivières parfois insalubres, peut causer des maladies ou la mort. Le jus fermenté des fruits, aromatisé d'épices, de plantes et de miel, tuant les microbes grâce à la présence d'alcool, est conservé également à titre de potion curative.

Les Hébreux en Palestine soutirent leur vin plusieurs fois et le transvasent afin de l'épurer et d'obtenir des arômes oxydatifs. Par ailleurs, les dattes sont plus utilisées que le raisin, pourtant abondamment cultivé au point que les écrits rapportent des grappes de plusieurs kilos chacune !

C'est essentiellement de la seconde moitié du premier millénaire avant Jésus-Christ que des vestiges tangibles en matière de viticulture et de viniculture nous sont rapportés. Le cycle végétatif de la vigne ne permettant évidemment qu'une seule récolte à une période donnée, les Grecs ne prévoyaient la garde du vin que pour une durée d'un an. Les vins étaient déposés dans des jarres de conservation dans lesquelles on puisait régulièrement la mesure souhaitée, qu'on déversait dans une amphore ou une outre. Cependant, pour certaines cuvées, les Grecs enfermaient directement le raisin surmûri dans de petits pots, à même le cep. Le jus qui en était tiré servait d'appoint aux vins trop légers ou composait un vin supérieur qu'on versait dans des amphores plus luxueuses, mais non bonificatrices, destinées aux divinités ou à des élites sociales. En introduisant la viticulture à Marseille, donc en Gaule, au VIe siècle avant Jésus-Christ, les Phocéens inaugureront la réelle commercialisation du vin vers l'extérieur du pays. Mais ce sont des vestiges romains d'entre le Ier et le IVe siècle après Jésus-Christ qui nous assurent qu'il existait alors des productions techniques évoluées du vin. L'archéologie contemporaine dévoile des installations vinicoles incroyables dans tout le bassin méditerranéen. Les villas romaines luxueuses construites sur des terres à vignes et à oliviers étaient souvent dotées de chais avec fouloirs, pressoirs à vis, cuves à escaliers et celliers. Les Romains aimaient exposer au soleil, sur des claies, les grappes durant quelques jours après la récolte, pour ensuite entreposer les baies pressées, au grenier! Les premiers celliers à vin, dits d'élevage, tels qu'on les utilise aujourd'hui, seraient donc romains. Ces celliers étaient, de plus, toujours exposés à l'est. Ce qui aurait pu tenir lieu de cave froide dans la Rome antique, c'est-à-dire le sous-sol, était aménagé pour les thermes, des coffres à valeur marchande ou le réseau hydraulique! Épais, sirupeux, les vins, souvent coupés, délayés, ne ressemblaient en rien à ceux d'aujourd'hui. Ce n'est qu'après une à deux années sous les combles que le jus était soutiré pour être enfin entreposé au rez-de-chaussée dans des amphores aux intérieurs nappés de poix fondue. Âpre, le liquide qui en résultait était toujours servi avec du miel et parfumé à l'aloès, aux amandes, aux figues, au thym et même au goudron ou à l'eau de mer! Notons donc que la cave privée est rare. Elle est d'abord commerciale, car c'est souvent celle du négociant en vins. Il s'agit d'un entrepôt où le vin, lorsqu'il en sort, est tout de suite consommé. Jusqu'au haut Moyen Âge (du Ve au Xe siècle), les caves particulières, telles qu'on les envisage aujourd'hui, n'existent pas, du moins pour le vin, ou ce sont celles du vigneron; ce sont avant tout ses chais de bonification pour la simple raison que la bouteille n'est pas encore le contenant de garde.

2 - De l'ère chrétienne à la Renaissance européenne

L'avènement du christianisme, qui entraîne progressivement la chute de l'Empire romain, bouscule d'abord la consommation du vin en la multipliant et en la popularisant. La recherche de sa conservation, en Occident, devient donc essentielle à l'expansion de la parole du Christ. Le vin représentant le sang du Messie, il est inutile ici d'étayer mon propos sur l'importance que cette boisson va prendre dans les sociétés ultérieures conquises par cette religion. En outre, un nouvel élément capital pour son transport, puis sa garde, apparaît: la barrique. C'est un contenant fait de douves de bois qui portera, au cours des siècles, le nom de la mesure, du volume qu'il peut contenir ou de la qualité du bois utilisé: muid, tonne, fuder, fût, etc.

Alors que Rome, en conquérant la Gaule, interdit aux autochtones durant plusieurs décennies la culture de la vigne, pour des raisons de protectionnisme économique, elle découvre la barrique (utilisée entre autres pour la cervoise) qui va remplacer les outres de peau et les amphores, peu pratiques et plus fragiles. D'abord provençale, la production romaine de vin en Gaule gagnera le Roussillon, puis l'Aquitaine, faisant alors reculer la production et la consommation de la cervoise, ancêtre de la bière. Le nord de l'Europe, pays céréalier, s'attache alors davantage à la production de la bière, tandis que tout le bassin méditerranéen exploite celle du vin. Curieusement, ce sont les Gaulois qui créent les premiers vrais vins blancs, qu'ils sucrent de miel avant de les mettre en barrique. L'origine des premiers collages en vinification date sans doute de cette époque.

La garde en barrique est encore une garde de conservation matérielle, pratique, et non une garde de bonification temporelle.

Les invasions des peuples de l'Est mettent fin à l'Empire romain au Ve siècle. Elles entraînent également le délabrement de la culture viticole appliquée. Celle-ci ne reprendra que sous Clovis, à la fin du même siècle, car en se convertissant au christianisme, il est obligé de cautionner le travail de la vigne et du vin. Cette période du haut Moyen Âge (V^e - Xe s.) voit l'éclosion de monastères et d'abbayes dans toute l'Europe occidentale. Et ce sont évidemment leurs locataires, moines de tous les ordres, qui vont permettre à la culture de la vigne, à la vinification, à l'entreposage du vin et à son commerce d'évoluer de façon remarquable.

Au IXe siècle, Charlemagne, puis les premiers Capétiens instaurent des lois qui protègent les vignobles et réglementent leur exploitation. Si ces lois étouffent les paysans et les vignerons sous des taxes, et entraînent finalement leur désœuvrement, elles permettent au clergé, exempt de certaines fiscalisations, d'exploiter ses propres parcelles. Les moines défrichent, clôturent leurs terrains, se protègent. Certains monastères ont même leur propre taverne ou conviennent d'ententes d'exclusivité de vente avec les taverniers ou les seigneurs. Pendant des siècles, l'enseigne indiquant une taverne sera une couronne de feuilles de vigne et de sarments séchés (ou un pied de cep); et lorsque celle-ci était fraîche ou décorée de couleurs, elle annonçait que le vin proposé venait d'être tiré. C'était le vin nouveau qu'on tirait directement du tonneau (le muid) pour le verser dans un pichet de terre. Le vin était si important dans la vie spirituelle et matérielle du moine que la punition la plus grande, parmi les règlements monacaux chez certains ordres, était la privation de vin! Ce précieux liquide n'est pas seulement une boisson nourrissante, désaltérante et attrayante, il est un médicament aux propriétés multiples. Et déjà, par rentabilité, on sait utiliser le mauvais vin ou les cuvées manquées pour les simples frictions ou le lavage de plaies alors que le meilleur jus qui reste après la cuvée à boire sert aux recherches de potions ou de sirops curatifs. Les moines de Cluny, de Clairveaux ou de Nuits dans la France d'alors font des stages de vinification en Allemagne, chez leurs confrères de Kremsmunster, de Lorsch, d'Heiligenkreuz ou d'Heitersheim. Pendant plus de neuf siècles, jusqu'au XVIIe siècle, dans toute l'Europe occidentale et jusqu'au Moyen-Orient, au Liban et en Palestine, le vin et sa commercialisation sont pratiquement un monopole, celui des moines cisterciens, bénédictins et chartreux, et des commanderies de l'ordre de Malte.

Caves et celliers d'alors sont les pièces attenant aux cryptes, aux écuries, aux cachots ou aux cuisines des abbayes, construites de pierres, de cailloux, de galets, de schiste, de calcaire ou de tuffeau selon les régions. Ce sont les fondations des monastères qui servent d'entrepôts et c'est grâce aux recherches et aux observations des moines celliers, tout au long de ces siècles et tout au long de consignations écrites, que nous en connaissons davantage aujourd'hui. La gestion de la garde du vin devient aussi importante que la gestion de sa création à partir des croisades chrétiennes.

En conquérant tout le bassin méditerranéen, Rome avait implanté un premier réseau routier balisé. Mais ce réseau se construisait au fur et à mesure des conquêtes, freinant notamment le transport facile de denrées, de vins ou d'huiles, d'origine romaine, que les soldats, puis les colons, préféraient. Avant d'implanter leurs traditions culinaires en terre colonisée, les Romains avaient dû tout de même s'adapter à celles des autochtones, tout en cherchant des moyens rapides et fiables d'y faire venir, entre autres, leurs vins. La barrique gauloise qu'ils découvrent sera ce moyen efficace.

À la fin du premier millénaire, ces anciennes voies sont fréquentées, répertoriées et plus ou moins bien entretenues. Les plus praticables sont dallées mais restent minoritaires. La majorité est formée de chemins en terre battue. Joindre une destination est cependant plus rapide et plus facile qu'auparavant. Cela permet donc aux hommes de mieux prévoir leur équipement de voyage ou d'invasion ! Et ces invasions nécessitent du vin pour les troupes. Mais du bon vin. Du vin qui peut voyager un certain temps.

3 - Du Grand Siècle à aujourd'hui

La viticulture change de visage au Moyen Âge parce qu'elle s'occidentalise, mais la production de vin ne se multiplie pas. En effet, si le christianisme est l'ambassadeur du vin sur tout le continent européen, puis dans le Nouveau Monde, l'islam tend à faire disparaître l'esprit du vin et le vin des esprits au Moyen-Orient, puis en Orient. L'apport de nouveaux outils et la rédaction d'études sur les effets de la géologie et du climat sur la vigne permettent surtout aux vignerons d'éviter de commettre des erreurs et de subir des pertes ou des gâchis. Les modes de vinification et leurs qualités sont également répertoriés parce que retranscrits dans des manuels. Seuls les moines, certains nobles et quelques professeurs, souvent issus de l'aristocratie, savent écrire et lire. Et c'est ce pouvoir, le pouvoir de l'alphabétisme, que les moines alimentent entre eux, qui leur permet d'être les spécialistes incontournables de la vigne et du vin. Cette longue période voit d'ailleurs naître l'échanson – ou le bouteiller – qui assure le service du vin à la table des seigneurs. Pendant longtemps, ce sera le moine cellérier de l'abbaye seigneuriale qui occupera cette fonction et qui aura en charge toute l'économie de sa communauté et des magasins. Une certaine idée de la table et de ses plaisirs, issue de la Rome antique, perdure dans la noblesse, mais il faut attendre la Renaissance pour voir une forme d'art de la table apparaître, qui va entraîner une vraie recherche de la conservation du vin.

En imposant par exemple la fourchette (à trois branches) et l'ordre des services au cours d'un repas,

Catherine de Médicis invente le protocole de la table moderne. Les lois sur la distribution du vin se précisent et, dans toutes les cours d'Europe, ce sont les heures des repas qui codifient le déroulement de la journée. Ces repas ordonnés assignent une nouvelle place au vin aussi bien chez les gens de pouvoir qu'auprès du peuple. Il n'est plus seulement une boisson désaltérante, plus sûre que l'eau, enivrante et plus distrayante que les amuseurs du roi ou les saltimbanques des rues, ou curative et plus digeste que n'importe quelle potion, il est indispensable dans la planification d'un banquet. Le vin, désormais mieux identifié et plus respecté, doit s'accorder aux mets. Comme ces derniers se diversifient aussi, ainsi que leur préparation et leur cuisson, les vins doivent être multiples, tant par leurs origines que par leurs mûrissements. Certes, ces origines sont moins diverses qu'aujourd'hui, mais elles sont les ferments des appellations qui naîtront quelques siècles plus tard. Les catégories de vin déterminent même la façon de le distribuer. Le vin «de la ville» diffère du vin «de la campagne» et l'un ou l'autre vin est vendu au gobelet, au pichet ou au fût selon le rang social du consommateur, à des heures réglementées. C'est cette codification de la distribution commerciale du vin qui va progressivement en faire un produit adaptable, qu'on va rendre à la fois nécessaire, rare ou d'exception.

La barrique avait bouleversé l'économie du vin au début du premier millénaire, la bouteille bouscule celle de la fin du second millénaire, à partir du XVIIᵉ siècle. Trop fragile et luxueux, le verre avait été mystérieusement abandonné au début de l'ère chrétienne. En le renforçant entre autres avec du manganèse, les Anglais ouvrent la voie à une nouvelle industrie. L'art du verre soufflé et renforcé se popularise parce que la bouteille et la verrerie apparaissent aux tables de la noblesse. Désormais, grâce à la bouteille dont la forme évoluera au cours des siècles, le vin voyage plus facilement, se distribue

Le cellier amérindien

La fosse était toujours creusée vers le côté nord de l'habitat, au pied de l'inclinaison de la toiture, permettant ainsi la récupération plus facile de la neige et de la pluie qui glissaient directement dans le trou d'une profondeur de deux à trois mètres. Les grands froids congelaient la matière qu'on isolait avec une enveloppe de sciure. Il suffisait alors, au cours des saisons plus chaudes, de placer les aliments et les divers vins (d'écorce, de miel, de baies, etc.) sur la surface du bloc de glace qu'on couvrait de peau ou de tapis de bois.

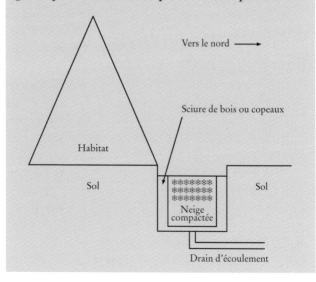

plus facilement, se range plus facilement et s'offre plus facilement.

Enfin, c'est ce nouveau contenant qui permet à l'homme d'observer la bonification du vin lorsqu'on l'y laisse quelque temps. La notion de garde du vin pour sa bonification, pour le meilleur de lui-même, apparaît avec l'avènement de la bouteille. C'est donc une notion bien récente au regard de sa création et de sa consommation.

C'est la bouteille qui va faire du vin un produit social. Et c'est le vin dans la bouteille, aujourd'hui, qui fait du cellier une armoire sociale.

4 – Et demain ?

Le vin est aujourd'hui coté en Bourse! Pourquoi? Parce que sa valeur augmente inexorablement avec le temps. Il suffit d'avoir sa cave et de la patience, et voilà que l'on est banquier et courtier! Je sais, toutes les bouteilles n'ont pas une valeur exponentielle, garantissant la joie du spéculateur. Mais ces bouteilles au nom célèbre peuvent être achetées par quiconque dès qu'il y met le prix, parce qu'elles sont en vente libre. Et, finalement, ces grands vins ne restent-ils pas abordables comparativement aux voitures dites de collection ou à l'immobilier? Lorsqu'on construisait autrefois les maisons, l'architecte ne posait pas la question de la cave à vin nécessaire, utile ou désirée, car celle-ci représentait la base logique de la construction dans laquelle s'entasseraient plus tard des victuailles, des objets de débarras ou du vin. Lorsqu'on construit une maison aujourd'hui, l'architecte pose la question: «Au fait, voulez-vous une cave à vin?» Et si vous répondez oui, il vous proposera: «La voulez-vous sous votre maison, au niveau du rez-de-chaussée ou à l'extérieur de votre maison, creusée dans le jardin?» Parce que, effectivement, on peut aussi l'avoir dans une sorte de bunker adapté, indépendant de la demeure, construit par trois mètres de fond, dans son jardin. Bref, la cave à vin est de nos jours polyvalente en tout point, et quand on analyse ce vaste marché et son évolution depuis seulement dix ans, on peut prédire que son avenir est prospère. On peut envisager que vers 2015, le cellier électrique, intégré à notre univers domestique, sera considéré comme un électroménager traditionnel, qu'on change tous les dix ans, comme le sèche-linge.

Il suffit d'ailleurs d'observer l'histoire de ce dernier. Lorsque le sèche-linge domestique est apparu dans les années soixante-dix, il y a eu ceux qui ont crié à la futilité et au luxe dérisoire, vantant plutôt l'air frais du vent sur nos petites affaires épinglées à la corde à linge, et ceux qui ont défendu cet appareil qui faciliterait l'entretien des vêtements et apporterait un gain de temps. Je ne suis pas un hyperprogressiste, mais force est de constater que la plupart des ménages ont aujourd'hui un sèche-linge et que même ceux qui habitent dans des contrées tempérées, où l'hiver ne le nécessite pas, en ont un.

Donc, ce qui apparaît luxueux à son apparition peut devenir indispensable à tous, avec le temps.

Le besoin d'un cellier touche évidemment une communauté particulière de nos sociétés, et ma comparaison est peut-être abusive, je l'admets; cependant, puisque l'on parle ici de progrès technologique dont le but est d'alléger nos tâches ménagères, il y a fort à parier que l'engouement populaire actuel pour le vin et sa conservation augure l'une de ces tâches, que le cellier viendra alléger, avec le temps…

Enfin, la base non visible des nouvelles constructions domestiques, aujourd'hui, ne doit plus être un simple soutien architectural esthétiquement négligé, elle doit être utile et jolie. En cela, l'homme moderne n'a rien inventé car, déjà dans l'Antiquité, la base d'une maison servait de garde-manger, de garde boissons ou d'entrepôt divers.

Au XXe siècle, le garage à automobile complétera la liste des commodités d'une propriété.

Pourtant, avec la cave à vin devenue essentielle dans nos demeures, une autre notion s'est greffée à l'utilité et à la beauté: la rentabilité.

Si une nouvelle pièce doit être construite, isolée et adaptée dans nos maisons, désormais on la veut rentable, c'est-à-dire qu'elle apporte une plus-value à la demeure. Et cette notion, pour cette partie de la maison, n'existait pas chez nos ancêtres.

En 1996, chez Sotheby's à Londres, a été vendue aux enchères la cave à vin du compositeur Lloyd Webber. Les 18 000 bouteilles ont rapporté la somme record de quelque 10 millions de dollars. Cela représente un peu plus de 500 $ la bouteille. Dans le lot figuraient quelques exemplaires assez précieux. La palme revint à un magnum Romanée Conti 1971, pour lequel un amateur déboursa 14 000 $! Cela représente un peu moins de 1000 $ pour un verre et presque 200 $ la gorgée de vin !

1 - Ce qu'il faut éviter :

Construire votre cave vous-même (même si l'une de vos connaissances, bien intentionnée, prétend vous aider ou vous conseiller au mieux, parce qu'elle sait déjà tout ou qu'elle a déjà construit sa cave toute seule). Même si vous avez acheté séparément le compresseur, l'humidificateur ou autre, et qu'il vous semble facile de l'installer, ce sont les détails négligés ou ignorés dans l'ensemble de l'assemblage et de la construction qui vous occasionneront bien plus tard des regrets.

Il existe aujourd'hui des professionnels de la construction de cave, offrant de plus des garanties. Alors, consultez-les !

Un emplacement temporaire pour les bouteilles ou le cellier que vous venez d'acquérir. Évitez de penser : « En attendant, je vais les entreposer là… »

Pour le cellier électrique, vous devez déterminer un espace précis avec une prise adéquate dans le mur (surtout pas de rallonge), et non un vague endroit de votre maison en attendant qu'un autre espace soit libéré.

Vous avez fait un achat important qui mérite autant de soins que le buffet du salon ou la bibliothèque du bureau. Plus vous manipulerez votre cellier, plus vous l'abîmerez. D'autant plus que, une fois le cellier chargé de bouteilles (qui ne doivent pas non plus être trop souvent manipulées), son poids augmentera les risques d'incident.

L'entreposage couché des bouteilles de Porto de type Tawny (ou de vin de même type).

Leurs bouchons ne permettent pas une garde longue à cause de leur tête cylindrique plastifiée ou plombée. Laissez-les debout. Ce sont de toute façon des flacons à boire dès leur mise en vente sur le marché.

Le réentreposage couché de bouteilles ouvertes parce que tout n'a pas été bu. Je sais, cela paraît évident mais j'ai pu l'observer...

La garde longue de bouteilles d'eau-de-vie de vin, de fruits ou de grains (Cognac, Calvados, Whisky, etc.). Ces bouteilles ne vieillissent pas, du moins elles ne se bonifient pas avec le temps et sont prêtes à consommer dès leur mise en vente: le producteur a fait vieillir l'alcool pour vous.

Vous n'obtiendrez pas un whisky de trente ans d'âge en vous procurant une bouteille de vingt-deux ans d'âge et en la laissant dormir huit ans.

L'entreposage des bouteilles dans la caisse de carton d'emballage d'origine. Le carton pourrit, entraînant le développement de moisissures nuisibles aux vins. Les caisses de bois peuvent par contre constituer une solution temporaire de la bonne garde des bouteilles, dans une cave construite.

L'éclairage intense. La lumière nuit au vin (goût de lumière). Si elle peut impressionner le visiteur ou mettre en valeur vos bouteilles, vous risquez cependant d'oublier de l'éteindre. Une lumière tamisée est conseillée (ou, pour son côté pratique, un système d'éclairage pourvu d'un gradateur).

Construire votre espace de garde ou placer un cellier à proximité d'un appareil ou d'un lieu qui occasionne des vibrations (appareils ménagers, métro, etc.). Les tremblements, quels qu'ils soient, peuvent tuer le vin.

La proximité d'une source d'odeur ou pire, le partage du lieu avec une source d'odeur, quelle qu'elle soit (cuve à mazout, réserve de charbon, de bûches de bois, de lessive ou autres). Même si le bouchon de liège ou de résine de synthèse est le scellant d'une bouteille le plus fiable qu'on puisse avoir aujourd'hui, il ne résiste pas à certaines effluves.

Le brossage systématique de la brique ou du ciment lors de l'entretien d'une cave naturelle. Comme l'humidité imprègne la surface des murs, celle-ci s'effrite facilement au contact d'une brosse.

Surcharger votre cellier électrique. Cela abîme les clayettes et les parois, et surtout, cela dérange la bonne diffusion et la bonne répartition de la température et de l'humidité.

2 - Ce qu'il faut savoir ou prévoir:

Achetez ce que vous aimez et non ce qu'un proche ou un expert en vins a aimé. Testez-vous, testez une seule bouteille, goûtez ce qui vous attire, notez vos impressions afin de mieux vous connaître. N'achetez jamais une caisse d'un vin dit de garde que vous n'avez jamais goûté; à moins d'aimer la spéculation sur des bouteilles fameuses que vous comptez revendre.

Si vous prévoyez, par exemple, l'achat d'un cellier pour cent bouteilles (même après avoir calculé votre rythme de consommation et vos désirs de bouteilles), prévoyez plutôt une capacité de 50 % de plus! En matière d'achat de vin à garder, les caprices dépassent souvent la raison et le budget prévu...

Et puis, il vaut mieux se trouver devant quelques compartiments vides du cellier que devant quelques bouteilles pleines qui attendent à côté du cellier.

Dans une cave construite, prévoyez des compartiments pour les formats de bouteille moins classiques: demi-bouteille, magnum ou jéroboam. Au-delà de ces formats, il est inutile de prévoir un espace, car si on achète de plus grosses bouteilles (qui sont par ailleurs très rares), c'est pour une occasion précise et symbolique, et on les débouche donc promptement.

Disposez vos bouteilles de manière pratique en fonction de votre consommation quotidienne, c'est-à-dire pour y avoir accès facilement. Ainsi, dans un cellier électrique à double profondeur, il est inutile

– du moins illogique – de coucher une bouteille pour dix ans ou plus devant votre réserve de bouteilles de chaque jour. On peut certes être fier de montrer aux copains une bouteille prestigieuse, mais si on l'agite tous les deux jours pour aller prendre une bouteille moins prestigieuse, il faut s'attendre à une décevante surprise après les dix années de patience.

Munissez-vous d'un « livre de cave » pour consigner vos repères et vos commentaires sur les bouteilles consommées, et d'un répertoire pour la réserve de bouteilles. Si l'informatique fait partie de votre quotidien, pourquoi ne pas vous procurer un logiciel de cave à vin ? En général, de tels outils, très pratiques, n'exigent que quelques heures d'apprentissage.

Veillez à l'entretien sanitaire de votre cellier ou de votre cave. La poussière se dépose partout, même sur les parois et les clayettes d'un cellier. Chaque mois, époussetez-les, sans retirer les flacons, avec un chiffon sec (qui pourrait aussi être antistatique) ou un plumeau, ou encore, aspirez ce qui est visible au moyen de la brosse amovible d'un aspirateur.

Dans une cave naturelle, l'humidité non contrôlable est la source et le logement de nombreux parasites et champignons plus ou moins microscopiques. Dans ce cas, l'aspirateur s'avère pratique. Pour les toiles d'araignée, par exemple, un plumeau est suffisant. Les maniaques de l'étiquette immaculée pourront envelopper les bouteilles dans du papier aluminium qui les protégera des piqûres de moisissure.

3 - Carnet d'adresses des commerces de caves et celliers en pays francophones

QUÉBEC (CANADA)

Després-Laporte
994, boulevard Curé-Labelle
Laval H7V 2V5
Tél.: (450) 682-7676
Fax: (450) 682-7668
www.despreslaporte.com

Aux plaisirs de Bacchus
1225, avenue Bernard Ouest
Outremont H2V 1V7
Tél.: (514) 273-3104
Fax: (514) 273-3161
www.auxplaisirsdebacchus.com

Vin & Passion
Centropolis Laval
(angle Saint-Martin et Autoroute 15)
1910, avenue Pierre-Péladeau
Laval H7T 2Z6
Tél.: (450) 781-8467
Fax: (450) 781-8468
www.vinetpassion.com

Vinum design
1480, rue City Councillors
Montréal H3A 2E5
Tél.: (514) 985-3200
Fax: (514) 985-9802
www.vinumdesign.com

L'Âme du vin
14, boulevard Desaulniers
Saint-Lambert J4P 1L1
Tél.: (450) 923-0083
Fax: (450) 923-0053

12 degrés en cave
367, rue Saint-Paul Est
Montréal H2Y 1H3
Tél.: (514) 866-5722
www.12encave.com

Vinum Grappa
1261, avenue Maguire
Sillery - Québec G1T 1Z2
Tél.: (418) 650-1919
         1 877 305-1919
www.vinumgrappa.com

18 Degrés
5465, rue Royalmount
Montréal H4P 1H3
Tél.: (514) 951-4490
Fax: (450) 589-3812
www.18degres.com

Maison R.G. inc.
7783, avenue Casgrain
Montréal H2R 122
Tél.: (514) 495-7771
Fax: (514) 495-7755

Celliers du Nord
214, boulevard Labelle
Sainte-Thérèse J7E 2X7
Tél.: (450) 435-5461
Fax: (450) 435-0858

LIBAN

Obegi Better Home S.A.L.
BP 60043 Jal El Dib
Metn 1241 2010
Tél.: +961-4-711623
Fax: +961-4-711624

Enotica S.A.L.
Rue Zalka
Facing Haroun Hospital
BP 11
9666 BEYROUTH
Tél.: (961) 9-2121323-023
Fax: (961) 9-2131324

Représentation & conseil
Espace 2000
Zouk Mikael / Kesrouan
2207 4318
BP 90 862
Tél.: (961) 9 211 005-6
Fax: (961) 14 44 365

SUISSE

Créavin
Chemin de Chevrine
1034 BOUSSENS
Tél.: 0041 21 731 5943
Fax: 0041 21 731 5943
info@creavin.ch
www.creavin.ch

BELGIQUE

DBVINS sprl - Distribution des caves Caveduke
49, avenue Jules-Destrée
B-6031 MONCEAU-SUR-SAMBRE
Tél.: +32 71 700 486
Fax: +32 71 700 487
www.dbvins.com

EuroCave Belgium
55, rue Royale
1000 BRUXELLES
info@eurocave.be
Tél.: (32) 22 17 17 15
Fax: (32) 22 17 75 50

C.M.I. Belgium
3, avenue de la Turquoise
1640 BRUXELLES
Tél.: 0032 2 381 1817
Fax: 0032 2 381 1817
maeschristian@hotmail.com

UNIVER SPRL
Willebroek
Tél.: 03 866 00 11
Fax: 03 866 06 92
pdr@univer.be

FRANCE

Le marché des commerces français de ce domaine étant particulièrement riche et vaste comparativement aux autres pays francophones cités, le répertoire d'adresses n'est pas exhaustif.
Le lecteur pourra consulter les magazines français spécialisés dans le vin pour avoir une information précise selon sa région d'origine.
La liste qui suit présente une sélection de commerces de quelques régions.

Paris - Région parisienne
Cave & Déco
82, boulevard de Picpus
75012 PARIS
Tél.: 01 43 44 19 77
Fax: 01 43 44 19 78
www.cavedeco.com

LAVINIA
3 - 5, boulevard de la Madeleine
75001 PARIS
Tél.: 01 42 97 20 20

La Cave de A à Z
6, rue Claude-Décaen
75012 PARIS
Tél.: 01 43 43 98 90

Monvoisin SA
15, voie de Seine
94290 VILLENEUVE-LE-ROI
Tél.: 01 45 97 31 20
Fax: 01 49 61 21 88

L'esprit et le vin
81, avenue des Ternes
75 017 PARIS
Tél.: 01 45 74 80 99
Fax: 01 45 72 03 32
www.espritetlevin.com

Cave & Bois
9, rue Alexandre-Cabanel
75015 PARIS
Tél.: 0820 837 637 n° Indigo

PROVINTECH
53, avenue Carnot
94100 SAINT-MAUR-DES-FOSSÉS
Tél.: 01 49 76 31 19
Fax: 01 42 83 86 45
www.provintech.fr

Bretagne
Idées-Design / Le bloc cellier
5, rue Jacques-Prado
35600 REDON
Tél.: 33 02 99 72 35 34
Fax: 33 02 99 72 12 61
www.bloc-cellier.com

POLYCAVE
RN 165 (Nantes - Vannes)
ZA les 4 Nations
44360 VIGNEUX DE BRETAGNE
Tél.: 02 40 57 18 88
www.polycave.fr

Les Caves de mon Père
Loïc et Fabienne Caroff
8, avenue Baron-Lacrosse
29804 BREST
Tél.: 02 98 02 34 17
Fax: 02 98 02 91 80
www.cavesdemonpere.com

Lorraine
André et Patrick MOY
12, rue des Écoles
57350 SCHOENECK
Tél.: 03 87 87 58 02
Fax: 03 87 88 60 23

Picardie
Dometic SNC
Z.A. du Pré de la Dame Jeanne
BP 5
60128 PLAILLY
Tél.: 03 44 63 35 00
Fax: 03 44 63 35 18

Cavinor – CDK international
ZA Route de Compiègne
60410 VERBERIE
Tél.: 03 44 40 69 47
www.cavinor.com

Haute-Normandie
Les Caves de la Transat
Avenue Lucien-Corbeaux
76600 LE HAVRE
Tél.: 02 35 53 66 65
Fax: 02 35 53 66 82

Class'Cave
Route de Rouen – BP 333
Manneville sur Risle
27503 PONT-AUDEMER CEDEX
www.class-cave.com

Provence Alpes - Côte d'Azur
Tastvin
8, boulevard Saint-Jean
13010 MARSEILLE
Tél.: 04 91 25 93 65
Fax: 04 91 83 08 05
www.tastvin.fr

AOC Oenotria
Les Adrets A
Avenue Amoretti
83160 LA VALETTE
Tél.: 04 94 23 10 50
Fax: 04 94 23 10 59
www.aoc-cave.com

**Agence P.M. /
Pierre Millereau**
Agencements de cave à vin
10, avenue Saint-Jean-Baptiste
06000 NICE
Tél: 0493625144
Fax: 0493859053

Rhône-Alpes
Kit'Cave
121, rue Pasteur
42153 RIORGES
Tél.: 04 77 72 41 03
Fax: 04 77 72 53 30
www.kitcave.com

TRANSTHERM
Armoires à vin
81, boulevard Stalingrad
69100 VILLEURBANNE
Tél.: 04 72 43 39 03

Alsace
Vinosafe
2, rue des Artisans
BP 5
68280 SUNDHOFFEN
Tél.: 03 89 71 45 35
Fax: 03 89 71 49 73
www.vinosafe.fr

Côté cave
Justin Bléger – BP 169
67603 SÉLESTAT
Tél.: 03 88 85 40 14
Fax: 03 88 85 44 60
www.cotecave.fr

Languedoc-Roussillon
Sudivin
3, avenue Sadi-Carnot
ZA Saint-Michel
34770 GIGEAN
www.sudivin.fr

Bourgogne
VR PRODUCTION
Les Herbues
21220 CHEVANNES
Tél.: 00 33 (3) 80 61 42 11
Fax: 00 33 (3) 80 61 44 09
www.vrproduction.fr

Aquitaine
CAV-CONCEPT
Climatiseurs de cave
40300 ORIST
Tél.: 05 58 57 79 75
Fax: 05 58 57 79 74
contact@cavconcept.com
www.cavconcept.com

Nord - Pas de Calais
EuroCave
121, rue de Paris
59000 LILLE
Tél.: 03 20 21 17 37
Fax: 03 20 21 17 38

4 - Vocabulaire du vin et de la dégustation

A

ACERBE
Se dit d'un vin rendu âpre et vert par un fort excès de tanin et d'acidité.

ACESCENCE
Maladie provoquée par des micro-organismes et donnant un vin piqué.

ACIDITÉ
Présente sans excès, l'acidité contribue à l'équilibre du vin et lui apporte fraîcheur et nervosité. Mais, lorsqu'elle est très forte, elle devient un défaut qui lui donne un caractère mordant et vert. En revanche, si elle est insuffisante, on dit que le vin est mou.

ÂCRE
Se dit d'un vin qui irrite les muqueuses.

AÉROMÈTRE
Appareil de mesure de la densité du moût.

AGRESSIF
Se dit d'un vin montrant trop de force et attaquant désagréablement les muqueuses.

AIGREUR
Caractère acide élevé, assorti d'une odeur particulière qui rappelle celle du vinaigre.

AIMABLE

Vin dont tous les aspects sont agréables et ne sont pas trop marqués.

ALCOOL

Composant le plus important du vin après l'eau, l'alcool éthylique apporte le caractère chaleureux, mais, s'il domine trop, on dit du vin qu'il est brûlant.

AMBRE

En vieillissant longuement, ou en s'oxydant prématurément, les vins blancs prennent parfois une teinte proche de celle de l'ambre. C'est également la couleur du reflet que l'on peut observer dans les très vieux vins rouges.

AMERTUME

Si elle est normale pour certains vins rouges jeunes et riches en tanin, l'amertume est dans les autres cas un défaut dû à une maladie bactérienne.

AMPÉLOGRAPHIE

Science qui étudie les cépages.

AMPLE

Se dit d'un vin harmonieux donnant l'impression d'occuper pleinement et longuement la bouche.

ANIMAL

Terme qui qualifie l'ensemble des odeurs du règne animal: musc, venaison, cuir; surtout fréquentes dans les vins rouges vieux ou certains vins rouges jeunes issus de cépages caractéristiques.

ÂPRE
Se dit d'un vin particulièrement astringent, voire désagréable.

AQUEUX
Se dit d'un vin très faible, dilué.

ARÔME
C'est l'ensemble des principes odorants des vins jeunes (par opposition au bouquet, odeur acquise lors du vieillissement). On distingue deux types d'arômes: les *arômes primaires* qui sont ceux des cépages employés et qui apportent au vin son odeur caractéristique. Par exemple, le Sauvignon, à l'odeur de buis, parfois de fumé; le Muscat, au fruité très caractéristique; le Cabernet Sauvignon, aux senteurs de poivron vert; le Pinot noir, au nez de framboise, cassis et cerise... Ces arômes primaires évoquent généralement des odeurs fleuries, fruitées ou végétales.

Les *arômes secondaires* sont des arômes qui sont produits par les levures pendant la fermentation. Ces odeurs peuvent évoquer la banane, le vernis à ongles, le bonbon anglais... mais aussi la bougie, la cire, le froment...

Enfin, on peut aussi utiliser le terme d'*arôme tertiaire* pour désigner le bouquet, qui est le principe odorant que développe un vin après un certain vieillissement.

ASSEMBLAGE
Mélange de plusieurs cépages (ou de plusieurs vins) pour obtenir un lot unique. Faisant appel à des vins de même origine, l'assemblage est très différent du coupage, ayant, lui, une connotation péjorative.

ASTRINGENCE
Caractère un peu âpre et rude en bouche, souvent présent dans de jeunes vins rouges riches en tanin et ayant besoin de s'arrondir.

AUSTÈRE
Se dit d'un vin encore sans bouquet.

B

BALSAMIQUE
Qualificatif d'odeurs venues de la parfumerie et comprenant, entre autres, la vanille, l'encens, la résine, etc.

BARRIQUE
Récipient en bois de chêne utilisé pour l'élevage et la conservation des vins de garde. La barrique est un fût dont la contenance varie selon les pays dans le monde (225 litres à Bordeaux, 228 litres en Bourgogne, 215 litres dans le Beaujolais).

BAUMÉ
Échelle de mesure de la densité des moûts (degré Baumé).

BOISÉ
Se dit d'un vin au goût de fût neuf.

BONDE
Bouchon de fût.

BOUCHE

Terme désignant l'ensemble des caractères perçus en bouche lors d'une dégustation.

BOUCHONNÉ

Se dit d'un vin au goût de bouchon, provoqué par le liège et l'odeur qui s'y rattache.

BOUQUET

Principe odorant que développe un vin après une phase de maturation, appelé aussi *arôme tertiaire*. On distingue deux types de bouquets. Le *bouquet d'oxydation* est recherché dans le cas de certains vins riches en alcool (vins doux naturels, par exemple). Les vins sont oxydés parce qu'ils sont élevés dans des fûts non totalement remplis : ils prennent ainsi une teinte ambrée et développent un bouquet d'oxydation, qui rappelle des odeurs de compote de pommes, de coing, puis d'amandes, de noix, etc. Ils pourront alors se conserver plusieurs jours dans une bouteille entamée.

Le *bouquet* dit *de réduction* est celui que possèdent tous les grands vins de garde traditionnels. Au cours du vieillissement en bouteille, les arômes primaires vont se transformer en bouquet par un processus de réduction, c'est-à-dire en l'absence totale d'oxygène. Ce bouquet évoque des odeurs animales (cuir, venaison, fourrure), végétales (sous-bois, champignons), etc. En outre, dans la bouteille entamée, les vins «oxydo-réduits» perdent vite leurs qualités.

BOURRU

Se dit d'un vin troublé par la lie.

BRILLANT
Se dit d'une couleur du vin dont les reflets brillent fortement à la lumière.

BRÛLÉ
Qualificatif, parfois équivoque, d'odeurs diverses, allant du caramel au bois brûlé.

C

CAPITEUX
Caractère d'un vin très riche en alcool.

CARAFE
Le mot carafe vient de la langue arabe et désigne une bouteille de verre à gros ventre pour le service de l'eau. On dit qu'on passe en carafe un vin jeune pour l'aérer et le rendre plus facilement consommable et on dit qu'on décante, au moyen d'une carafe, un vin plus ou moins vieux pour laisser les dépôts dans la bouteille.

CAUDALIE
Unité de mesure de la durée de persistance en bouche des arômes, après la dégustation.

CHAI
Bâtiment situé au-dessus du sol et destiné aux vins (synonyme de cellier) dans les régions où l'on ne creuse pas de caves.

CHAIR
Caractéristique d'un vin donnant dans la bouche une impression de plénitude et de densité, sans aspérité.

CHALEUREUX
Se dit d'un vin procurant, notamment par sa richesse alcoolique, une impression de chaleur.

CHARNU
Se dit d'un vin qui emplit la bouche, qui a de la chair.

CHARPENTÉ
Bonne constitution d'un vin avec une prédominance tannique.

CHARTREUSE
Dans le Bordelais, petit château du XVIIIᵉ siècle ou du début du XIXᵉ siècle. À ne pas confondre avec l'alcool aux herbes aromatiques tenues secrètes.

CHÂTEAU
Terme souvent utilisé dans le Bordelais pour désigner des exploitations vinicoles. (Malheureusement, même celles qui n'en sont pas détentrices dans cette région abusent parfois de son utilisation.)

Ce terme est abusivement utilisé dans le monde viticole, notamment en Californie, en Chine et en Europe de l'Est, pour désigner l'exploitation et jouir commercialement de son impact verbal.

CLAIR
Se dit d'un vin débarrassé des lies.

CLAIRET
C'est un rouge léger et fruité, ou un vin rosé produit dans le Bordelais et en Bourgogne. Il vient de l'anglais Claret qui désignait autrefois les vins rouges de Bordeaux.

CLARET
Nom donné par les Anglais au vin rouge de Bordeaux.

CLAVELIN
Bouteille de forme particulière et d'une contenance de 62 cl, réservée aux vins du Jura.

CLIMAT
Nom de lieu-dit cadastral, propre au vignoble bourguignon.

CLOS
Très usité dans certaines régions pour désigner les vignes entourées de murs (Clos de Vougeot), ce terme recouvre souvent un usage plus large, désignant parfois les exploitations elles-mêmes.

COMPLET
Se dit d'un vin bien équilibré.

CORPS
Caractère d'un vin qui allie une bonne constitution (charpente et chair) à de la chaleur.

CORSÉ
Se dit d'un vin ayant du corps.

COULANT
Un vin coulant (glissant ou gouleyant) est un vin souple et agréable, qui glisse bien dans la bouche.

COULEUSE
Se dit d'une bouteille dont le bouchon laisse filtrer le vin.

COUPAGE
Mélange de vins d'origines différentes (ne pas confondre avec assemblage - voir ce mot).

COURT
Se dit d'un vin laissant peu de trace en bouche après la dégustation (on dit aussi « court en bouche »).

CREUX
Se dit d'un vin sans consistance.

D

DÉCANTER
Verser un vin de sa bouteille dans une carafe, pour lui permettre de se rééquilibrer et/ou d'abandonner son dépôt (voir Carafe).

DÉCLASSEMENT
Suppression du droit à l'appellation d'origine d'un vin, en France; celui-ci est alors commercialisé comme « vin de table ».

DEGRÉ ALCOOLIQUE
Richesse du vin en alcool exprimée en général en degrés (correspondant au pourcentage de volume d'alcool contenu dans le vin).

DÉLICAT
Se dit d'un vin fin et fondu.

DÉPÔT
Particules solides contenues dans le vin, notamment dans les vins vieux.

DÉSÉQUILIBRÉ
Se dit d'un vin auquel il manque un élément.

DOUCEÂTRE
Se dit d'un vin désagréablement sucré.

DUR
Un vin dur est caractérisé par un excès d'astringence et d'acidité, mais pouvant parfois s'atténuer avec le temps.

E

EMPYREUMATIQUE
Qualificatif d'une série d'odeurs rappelant le brûlé, le cuit ou la fumée.

ENVELOPPÉ
Se dit d'un vin riche en alcool, mais dans lequel le moelleux domine.

ÉPAIS
Se dit d'un vin souvent très coloré, donnant en bouche une impression de lourdeur et d'épaisseur.

ÉPANOUI
Qualificatif d'un vin équilibré qui a acquis toutes ses qualités de bouquet.

ÉPICÉ
Se dit d'un vin à odeur d'épices.

ÉQUILIBRÉ
Désigne un vin dans lequel l'acidité et le moelleux (ainsi que le tanin pour les rouges) s'équilibrent mutuellement.

ÉTOFFÉ
Se dit d'un vin ample et plein.

ÉVENTÉ
Se dit d'un vin ayant perdu totalement ou partiellement son bouquet à la suite d'une oxydation.

F

FAIBLE
Se dit d'un vin sans ampleur ni caractère.

FATIGUÉ
Terme s'appliquant à un vin ayant perdu provisoirement ses qualités (par exemple après un transport) et nécessitant un repos pour les recouvrer.

Cette fatigue peut également être définitive si le vin a été trop longtemps attendu.

FÉMININ
Terme à connotation machiste, mais encore entendu, qui veut désigner les vins offrant une certaine tendreté et de la légèreté.

FERME
Se dit d'un vin légèrement dur, mais agréable.

FERMÉ
S'applique à un vin encore jeune et n'ayant pas acquis un bouquet très prononcé, nécessitant donc d'être attendu pour être dégusté (ou d'être passé en carafe).

FILLETTE
Petite bouteille de 35 cl (à l'origine, utilisée en Anjou).

FINESSE
Qualité d'un vin délicat et élégant.

FLAVEUR
Sensation provoquée conjointement par le goût et l'odeur du vin. Autrefois anglicisme, ce terme a été accepté dans la langue française au cours des années 1970 et permet aujourd'hui, dans le domaine du vin et de la gastronomie, une meilleure compréhension de leurs qualités organoleptiques.

FONDU

Désigne un vin, en particulier un vin vieux, dans lequel les différents caractères se mêlent avec harmonie pour former un ensemble homogène.

FORT

Se dit d'un vin aux sensations très alcoolisées.

FOXÉ

Désigne l'odeur, entre celle du renard et celle de la punaise, que dégage le vin produit à partir de certains cépages essentiellement hybrides.

FRAIS

Se dit d'un vin légèrement acide, mais sans excès, qui procure une sensation de fraîcheur.

FRANC

Désigne l'ensemble d'un vin, ou l'un de ses aspects (couleur, bouquet, goût) qui est sans défaut ni ambiguïté.

FRIAND

Qualificatif d'un vin à la fois frais et fruité.

FRUITÉ

Se dit d'un vin à odeur de fruits.

FUMÉ

Qualificatif d'odeur proche de celle des aliments fumés, caractéristique, entre autres, du cépage sauvignon.

FUMET
Synonyme ancien de bouquet, qui n'est plus utilisé aujourd'hui.

G

GARDE
Vin de garde. Désigne un vin montrant une bonne aptitude au vieillissement.

GAZÉIFIÉ
Vin rendu effervescent par addition de gaz carbonique.

GÉNÉREUX
Caractère d'un vin riche en alcool, mais sans être gênant, à la différence d'un vin capiteux.

GLISSANT
Synonyme de coulant (voir ce mot).

GLYCÉROL
Trialcool légèrement sucré, issu de la fermentation du jus de raisin, qui donne au vin son onctuosité.

GOULEYANT
Voir Coulant. Terme qui vient du vieux français *goule*, qui signifiait gueule, puis grosse bouchée.

GRAS
Synonyme d'onctueux (voir ce mot).

GRAVELLE
Terme désignant le dépôt de cristaux de tartre dans les vins blancs en bouteille.

GRAVES
Sol composé de cailloux roulés et de graviers, très favorable à la production de vins de qualité que l'on trouve notamment en Médoc et dans les Graves, en France.

GRIS
Vin gris. Vin obtenu en vinifiant en blanc des raisins rouges.

H

HARMONIEUX
Se dit d'un vin qui présente des rapports heureux entre ses différents caractères, allant au-delà du simple équilibre.

HECTARE
10 000 mètres carrés, soit un terrain de 100 m sur 100 m.

HECTOLITRE
100 litres.

HERBACÉ
Désigne des odeurs ou des arômes rappelant l'herbe (ce terme peut avoir une connotation péjorative).

I

I.N.A.O. OU INAO

Institut National des Appellations d'Origine. Établissement public chargé de déterminer et de contrôler les conditions de production des vins AOC et AOVDQS, en France.

Ce terme désigne aussi le verre utilisé en dégustation par les amateurs de vin, créé par l'institut éponyme.

J

JAMBES

Synonyme de larmes, ce terme autrefois employé par les poètes amateurs de vin est aujourd'hui délaissé (voir Larmes).

JÉROBOAM

Grande bouteille contenant l'équivalent de quatre bouteilles (3 litres) en Champagne et 6 bouteilles à Bordeaux (4,5 litres).

L

LACTIQUE

Acide lactique. Acide obtenu par la fermentation malolactique.

LARMES
Traces incolores laissées par le vin sur les parois du verre lorsqu'on l'agite ou l'incline. Elles sont dues au sucre et à l'alcool.

LÉGER
Se dit d'un vin peu coloré et peu corsé, mais équilibré et agréable. En général, à boire assez rapidement.

LIE
Dépôt constitué par la sédimentation des levures quand elles ont terminé leur activité. Certains vins sont élevés sur lie pour les enrichir en arômes ou leur conserver un aspect perlant.

LIMPIDE
Se dit d'un vin de couleur claire et brillante ne contenant pas de matières en suspension.

LONG
Se dit d'un vin dont les arômes laissent en bouche une impression plaisante et persistante après la dégustation. On dit aussi: d'une bonne longueur.

LOURD
Se dit d'un vin excessivement épais.

M

MÂCHE
Terme s'appliquant à un vin possédant à la fois épaisseur et volume et qui, par image, donne l'impression qu'il pourrait être mâché.

MADÉRISÉ
Se dit (malheureusement encore) d'un vin blanc qui, en vieillissant, prend une couleur ambrée et un goût rappelant d'une certaine façon celui du vin de Madère.

Terme péjoratif pour ce dernier, qu'on remplacera volontiers par oxydé.

MAGNUM
Bouteille correspondant à deux bouteilles ordinaires (1,5 litres).

MAIGRE
Se dit d'un vin tannique et sans corps.

MARC
Matières solides restant après le pressurage. Distillé pour obtenir de l'eau-de-vie.

MATHUSALEM
Désigne une bouteille de Champagne d'une contenance de 6 litres. C'est aussi la bouteille Impériale dans le Bordelais (6 litres, 8 bouteilles).

MILLÉSIME
Année de la vendange.

MOELLEUX

Qualificatif s'appliquant généralement à des vins blancs doux se situant entre les secs et les liquoreux proprement dits. Se dit aussi, à la dégustation, d'un vin à la fois gras et peu acide.

MOU

Se dit d'un vin qui manque légèrement d'acidité.

MOÛT

Désigne le liquide sucré extrait du raisin.

MUSELET

Lien métallique qui emprisonne les bouchons de vins de Champagne et de vins effervescents, posé sous la coiffe de papier aluminium.

MUSQUÉ

Se dit d'une odeur ou d'un arôme rappelant le musc.

MUTAGE

Opération qui consiste à interrompre la fermentation en ajoutant de l'alcool au moût. Utilisé pour les vins doux naturels en France, les Portos et autres vins.

N

NABUCHODONOSOR

Bouteille géante équivalant à 20 bouteilles ordinaires (15 litres) en Champagne.

NERVEUX

Se dit d'un vin marquant le palais par des caractères bien accusés et une pointe d'acidité, mais sans excès.

NET

Se dit d'un vin franc, aux caractères bien définis.

NEUTRE

Se dit d'un vin sans personnalité.

O

ODEUR

Perçues directement par le nez, à la différence des arômes de bouche, les odeurs du vin peuvent être d'une grande variété, rappelant aussi bien les fruits ou les fleurs que la venaison.

O.I.V. OU OIV

Office International de la Vigne et du Vin. Organisme intergouvernemental étudiant les questions techniques, scientifiques ou économiques soulevées par la culture de la vigne et la production du vin.

ONCTUEUX

Qualificatif d'un vin se montrant en bouche agréablement moelleux, gras.

ONIVINS

Office National Interprofessionnel des Vins. Organisme ayant pris la relève de l'ONIVIT dans sa mission d'orientation et de régularisation du marché du vin.

ORGANOLEPTIQUE
Désigne des qualités ou propriétés perçues par les sens lors de la dégustation, comme la couleur, l'odeur ou le goût.

OUVERT
Se dit d'un vin épanoui, prêt à boire.

OXYDATION
Résultat de l'action de l'oxygène sur le vin. Si elle est excessive, elle se traduit par une modification de la couleur (pelure d'oignon pour les rouges) et du bouquet.

P

PERLANT
Caractéristique d'un vin légèrement pourvu en gaz carbonique. Moins mousseux que les pétillants, eux-mêmes moins mousseux que les effervescents.

PERSISTANCE
Phénomène se traduisant par la perception de certains caractères du vin (saveur, arômes) après que celui-ci a été avalé. Une bonne persistance est généralement un signe positif.

PETIT
Se dit d'un vin soit décevant, soit aimable et familier.

PIÈCE
Nom du tonneau de Bourgogne (228 ou 216 litres).

PIERRE À FUSIL
Se dit du goût d'un vin dont l'arôme évoque l'odeur du silex venant de produire des étincelles.

PIQUÉ
Qualificatif d'un vin atteint d'acescence, maladie se traduisant par une odeur aigre prononcée.

PLAT
Se dit d'un vin sans bouquet ni acidité.

PLEIN
Se dit d'un vin ayant les qualités demandées à un bon vin et qui donne en bouche une sensation de plénitude.

POURRITURE NOBLE
Nom donné à l'action du champignon *Botrytis Cinerea* dans les régions où elle permet de réaliser des vins blancs liquoreux.

PUISSANCE
Caractère d'un vin qui est à la fois plein, corsé et généreux.

R

RACÉ
Se dit d'un vin typé et original.

RAIDE
Se dit d'un vin tannique et acide.

RANCIO
Caractère particulier pris par certains vins doux naturels au cours de leur vieillissement.

RÂPEUX
Se dit d'un vin très astringent, donnant l'impression de racler le palais.

RICHE
Qualificatif d'un vin coloré, généreux et puissant, qui garde cependant son équilibre.

ROBE
Terme employé pour désigner la couleur d'un vin et son aspect extérieur.

ROND
Se dit d'un vin dont la souplesse, le moelleux et la chair donnent en bouche une agréable impression de rondeur.

RUDE
Se dit d'un vin astringent et de faible qualité.

S

SALMANAZAR
Bouteille géante contenant l'équivalent de 12 bouteilles ordinaires, soit 9 litres.

SAVEUR
Sensation (sucrée, salée, acide ou amère) produite sur la langue par un aliment.

SOLIDE

Se dit d'un vin bien constitué, possédant notamment une bonne charpente.

SOUPLE

Se dit d'un vin coulant, dans lequel le moelleux l'emporte sur l'astringence.

SOYEUX

Qualificatif d'un vin souple, coulant, moelleux et velouté, avec une nuance d'harmonie et d'élégance.

STRUCTURE

Désigne à la fois la charpente et la constitution d'ensemble d'un vin.

T

TANIN

Substance se trouvant dans le raisin (peau et pépins), qui apportera au vin ses caractères gustatifs et son potentiel de longue conservation.

TANNIQUE OU TANIQUE

Caractère d'un vin laissant apparaître une note d'astringence due à sa richesse en tanin.

TARTRE

Précipitation cristalline de sels d'acide tartrique dans les fûts et les bouteilles.

Cela ne présente aucun inconvénient pour le vin et sa dégustation.

TASTEVINAGE

Label accordé par la confrérie des Chevaliers du Tastevin à certains vins bourguignons.

TERROIR

Notion française d'un territoire se démarquant par certaines caractéristiques physiques déterminantes pour l'élaboration du vin.

TRANQUILLE

Vin tranquille. Opposé à vin effervescent. Vin sans gaz carbonique en dissolution.

TUILÉ

Caractère des vins rouges qui, en vieillissant, prennent une teinte rouge rappelant la couleur d'une tuile traditionnelle de toiture.

V

V.D.P. OU VDP

Vin de Pays. Vin appartenant au groupe des vins de table, mais dont on peut mentionner sur l'étiquette la région géographique d'origine.

V.D.Q.S. OU VDQS (OU AOVDQS)

Devenu AOVDQS, Appellation d'Origine Vin Délimité de Qualité Supérieure. Produit dans une région et selon une réglementation précise.

VÉGÉTAL

Se dit du bouquet ou des arômes d'un vin (principalement jeune) rappelant l'herbe ou la végétation.

VENAISON
S'applique au bouquet d'un vin rappelant l'odeur de grand gibier.

VERT
Se dit d'un vin trop acide.

VIF
Se dit d'un vin frais et léger, avec une petite dominante acide mais sans excès et agréable.

VINÉ
Se dit d'un vin additionné d'alcool.

VINEUX
Se dit d'un vin possédant une certaine richesse alcoolique et présentant de façon nette les caractéristiques distinguant le vin des autres boissons alcoolisées.

VIRIL
Se dit d'un vin à la fois charpenté, corsé et puissant.

VOILÉ
Se dit d'un vin légèrement trouble.

VOLUME
Qui a du volume: caractéristique d'un vin donnant l'impression de bien remplir la bouche.

V.Q.P.R.D. OU VQPRD

Vin de Qualité Produit dans une Région Déterminée. Se distingue des vins de table, dans le langage
réglementaire de la Communauté économique
européenne, et regroupe, en France, les vins AOC et
AOVDQS.

5 - Bibliographie

DEVROEY, Jean-Pierre. *L'éclair d'un bonheur: une histoire de la vigne en Champagne*, La Manufacture, 1989.

RADU, Jules. *Histoire universelle*, 1893.

RENVOISÉ, Guy. *Le monde du vin: art ou bluff?*, Éditions du Rouergue, 1994.

SABBAN, Françoise, et Silvano SERVENTI. *La gastronomie au Grand Siècle*, Éditions Stock, 1998.

SEWARD, Desmond. *Les moines et le bon vin: histoire des vins monastiques*, Éditions Pygmalion/ Gérard Watelet, 1982.

TCHERNIA, André, et Jean-Pierre BRUN. *Le vin romain antique*, Glénat, 1999.

Table des matières